Né à Aumale en Algérie en 1933, Jean-Claude Brialy s'inscrit après son baccalauréat au Conservatoire de Strasbourg, où il obtient un premier prix de comédie. Lors de son service militaire, il est envoyé à Baden-Baden et affecté au service cinéma des armées. Il joue alors ses premiers rôles et fait la connaissance de nombreux comédiens dont Jean Marais.

Acteur et scénariste, il a tourné avec les plus grands réalisateurs (Jean-Luc Godard, François Truffaut ou encore Éric Rohmer), et continue d'exercer son talent au théâtre, au cinéma et à la télévision. On compte parmi ses plus belles apparitions, ses rôles dans des films comme *Le Beau Serge, La mariée était en noir, L'Effrontée* ou encore *La Reine Margot.*

Après son livre, *Le ruisseau des singes*, où il nous raconte sa vie de comédien, Jean-Claude Brialy s'attache dans *Les répliques les plus drôles du cinéma*, à rendre hommage au 7e art et à ses chefs-d'œuvre connus ou méconnus.

LES RÉPLIQUES
LES PLUS DRÔLES DU CINÉMA

JEAN-CLAUDE BRIALY
présente

LES RÉPLIQUES LES PLUS DRÔLES DU CINÉMA

le cherche midi

ISBN : 2-266-13917-7

AVANT-PROPOS

Dans les films muets, on lisait sur les lèvres des acteurs un dialogue improvisé qui était parfois cocasse ou osé, seuls les sourds-muets pouvaient en profiter. Depuis, le cinéma parlant, né autour des années 30, a rencontré des auteurs ou des poètes qui ont enrichi de leur talent les premières répliques.

Jean Gabin aimait répéter : « Un bon film, c'est d'abord une histoire », ce qui était vrai, mais sans les mots les comédiens sont orphelins. Jean Renoir l'avait bien compris, il participait souvent au scénario et nourrissait les artistes de phrases simples, quotidiennes, amusantes et émouvantes. Les acteurs semblaient inventer leur texte et offraient à leur personnage une authenticité profonde qui frôlait le naturel. Dans *La Règle du jeu*, *La Bête humaine*, *La Grande Illusion*, les personnages secondaires sont pleins de vérité : Paulette Dubost, Carette ou Dalio.

Un des films symboles de Marcel Carné, *Hôtel du Nord*, en est un exemple éclatant. Henri Jeanson, journaliste, écrivain, a choisi, en adaptant le livre de Dabit, de coller à des personnalités uniques des répliques devenues immortelles... « Atmosphère, atmosphère... » C'est tout l'art d'un auteur d'inventer des répliques qui frappent l'oreille du spectateur. Jacques Prévert, ce prince inspiré, a entièrement imaginé le scénario des *Enfants du paradis*, tiré de la vie de Debureau, sachant trouver les mots justes autant pour la fille des faubourgs, Arletty, que pour l'aristocrate, Louis Salou. « Paris est tout petit pour ceux qui s'aiment », c'est simple et si beau. Sacha Guitry a gardé l'exigence du théâtre et l'a transposée au cinéma avec brillance. Marcel Pagnol, avec son génie, a écrit pour Raimu des textes puisés dans la vie quotidienne, son sens de l'observation le poussait à transformer le banal en sublime, il appelait cela sa « vérité du dimanche ». Marcel Achard et son esprit, Michel Audiard et son sourire, sa générosité, ont offert des cadeaux à Gabin, Ventura, Girardot, Belmondo et d'autres. Cocteau a enrichi ce métier de ses rêves poétiques, Pascal Jardin, Jean-Loup Dabadie ont illuminé les films français et permis à de grands comédiens de s'éclater.

Aujourd'hui, Bertrand Blier, Jean Cosmos, Danièle Thompson ont la qualité et le goût du parler vivant.

Jean Gabin m'a raconté qu'une tirade, écrite par Jacques Prévert, lui paraissait trop longue et elle fut finalement résumée par : « T'as de beaux yeux, tu sais. »

Jacques Prévert avait écrit le dialogue des *Amours célèbres*, j'étais en compagnie de Brigitte Bardot et d'Alain Delon. Agnès Bernauer attendait le retour des croisades de son chevalier, nous étions, Brigitte et moi, dans une tour de carton aux studios de Boulogne et nous guettions le cheval blanc de notre prince charmant. Brigitte portait un hennin et de sa voix douce me murmurait : « J'ai peur, l'herbe verdoie, la poussière poudroie, je guette et je ne vois rien venir, j'ai peur, mais tu es là mon ami, mon frère, mieux, tu es ma sœur. »

J'étais troublé par la beauté de Brigitte et par ce texte surréaliste.

Avec ce livre, bien entendu non exhaustif, nous avons voulu donner droit de cité aux répliques les plus drôles, celles où fuse l'esprit des dialogues les plus brillants, écrites par ceux pour qui, comme pour Flaubert, « Rien n'est plus sérieux en ce monde que le rire ». Nous ne nous sommes évidemment pas cantonnés à la France, et nous avons fait la place au reste du monde, à l'Amérique en particulier. Les réflexions de Woody Allen sont des chefs-d'œuvre :

« J'avais de bonnes relations avec mes parents. Ils me battaient très rarement. Je crois qu'ils m'ont battu une seule fois, en fait, dans toute mon enfance. Ils ont commencé à me battre le 23 décembre 1942 jusqu'à la fin du printemps 44 », dans *Bananas*.

« La dernière fois que j'ai pénétré dans une femme, c'était dans la statue de la Liberté », dans *Crimes et Délits*.

Son modèle absolu est sans doute Groucho Marx qui nous laisse des répliques entrées dans la légende :

« J'ai passé un accord avec les mouches. Elles ne s'occupent pas de faire des affaires. Moi, je ne marche pas au plafond. »

« Tu as le cerveau d'un enfant de quatre ans et il a dû être ravi de s'en débarrasser. »

« Quand la terre tremble, ma harpe joue toute seule à la maison et ça m'évite une journée d'arpèges. »

« La discrétion est ma devise. Je ne dis jamais rien. Même sur ma carte de visite, il n'y a rien d'écrit. »

« Une alliance ne protège qu'un seul doigt. »
« A-t-on le droit de découper une raie quand on a l'œil au beurre noir ?

Merci George Cukor, merci Capra, merci Lubitsch, merci Chaplin, merci Orson Welles. Federico Fellini choisissait des personnages au physique singulier, des caractères, et les faisait compter en leur indiquant l'expression désirée et puis il écrivait un texte en fonction de la situation. Seul, Marcello Mastroianni improvisait avec le Maître.

Et puis, n'oublions jamais le mot de la fin dans *Certains l'aiment chaud* :
« Nobody is perfect »,
Personne n'est parfait.

Merci Billy Wilder.

LES UNS ET LES AUTRES

— Je suis ancien combattant, militant socialiste et bistro. C'est dire si dans ma vie j'ai entendu des conneries. *(Un idiot à Paris)*

*

— C'est pas honteux d'être pauvre, mais c'est fatigant. *(La Fille du puisatier)*

*

— Je suis porteur, c'est mon métier.
— Ce n'est pas un métier, c'est une injustice sociale.
— Ça dépend du pourboire. *(Ninotchka)*

*

— Quelle heure est-il ?
— J'ai ma montre qui retarde de 42 francs... Elle est au clou ! *(La Bandera)*

*

— À nos âges, on est ni ci, ni ça... on a vingt ans, vingt-cinq ans. C'est une espèce de profession. *(Assassins et Voleurs)*

— Il dit qu'il va me foutre à la porte, si je ne paye pas ma chambre.
— Vous comprenez l'espagnol, maintenant ?
— Non. Mais je comprends la situation ! *(La Bandera)*

*

— Dites, c'est la première fois que je vois un Chinois qui parle yiddish.
— Ne lui dites rien, il croit qu'il apprend l'anglais. *(Je hais les acteurs)*

*

— On peut savoir comment tu fais ?
— Pour quoi faire ?
— Ben, pour avoir autant de pognon, par exemple.
— J'ai beaucoup de poches ! (...) Le pognon faut le prendre là où il est, gros nigaud ! Y en a partout ! Ça ruisselle dans les caniveaux ! Fais comme moi : y a qu'à se baisser pour le ramasser... Ça te fatigue de te baisser ? T'es fragile des lombaires ? *(Tenue de soirée)*

*

— Dans la deuxième guerre, il n'y a pas eu de Soldat inconnu ?
— Si, mais où le mettre ? *(Paris au mois d'août)*

*

— Quand on parle pognon, à partir d'un certain chiffre, tout le monde écoute. *(Le Pacha)*

*

— Finalement, il y a beaucoup de cousins qui ne sont pas germains.

— Sauf chez les Allemands. *(Bonsoir)*

*

— Les pauvres, c'est fait pour être très pauvres, et les riches pour être très riches ! *(La Folie des grandeurs)*

*

— Combien de gens voudraient frauder le fisc et combien le fraudent ? Vous voyez, l'honnêteté est une faiblesse. *(Vidange)*

*

— La fréquentation des salons m'a appris une chose : à ne plus chercher au coin des rues ce que l'on trouve gratuitement auprès des femmes du monde. *(Les lions sont lâchés)*

*

— Mon bac, je l'ai pas eu. Tout ce que j'ai eu, c'est des emmerdes. *(Merci la vie)*

*

— Salut. Y a-t-il quelqu'un qui ait une bonne nouvelle ou de l'argent ? Non ? Au revoir. *(Des clowns par milliers)*

*

— En France, le ridicule ne tue pas. On en vit. *(Lady Paname)*

*

— Je déménage. La patronne de mon hôtel a des principes ridicules. Elle veut toujours être payée.
— Les gens à qui l'on doit du pognon ont toujours des principes ridicules. *(Bob le flambeur)*

*

— On m'offre le choix entre pas de travail du tout ou un travail dont personne ne voudrait. *(Wolf)*

*

— Je viens juste après la réunion des Alcooliques Anonymes.
— Oh, Larry, je ne savais pas que tu avais un problème avec l'alcool...
— Je n'en ai pas mais de nos jours c'est là-bas qu'on conclut les meilleures affaires. *(The player)*

*

— Nous sommes tous les deux de la même famille et nous avons tous les deux de l'argent : toi, tu représentes le patronat, moi, le capitalisme. Nous votons à droite : toi, c'est pour préserver la société, moi, pour écraser l'ouvrier. Nous organisons un dîner de vingt couverts : toi, tu donnes une réception, moi, j'organise une partouze. Et si le lendemain nous avons des boutons, toi, c'est le homard, moi, c'est la vérole. *(Les Grandes Familles)*

*

— J'avais des bonnes relations avec mes parents. Ils me battaient très rarement. Je crois qu'ils m'ont battu une seule fois, en fait, de toute mon enfance. Ils ont commencé à me battre le 23 décembre 1942 jusqu'à la fin du printemps 44. *(Bananas)*

— Quelqu'un a appelé l'Afghanistan depuis mon téléphone ! L'Afghanistan ! Je n'ai jamais parlé à quiconque en Afghanistan, je ne connais personne en Afghanistan, et même si j'y connaissais quelqu'un, je n'aurais pas idée de parler à un Afghan pendant trois heures ! Je n'ai même jamais parlé à mon propre père pendant trois heures ! *(L'Arme fatale 4)*

*

— Tu es devenue une dame. Les clovisses, tu les ouvres plus, tu les manges. *(César)*

*

— Je vois un désastre, je vois une catastrophe, pire, je vois des avocats ! *(Maudite Aphrodite)*

*

— Je passe mon temps entre New York et Angoulême.
— Je ne connais pas Angoulême.
— C'est moins vivant que New York. *(La Totale)*

*

— J'adore ces ambiances d'ANPE, c'est convivial, c'est chaleureux, et puis c'est agréable d'être humilié de temps en temps. *(Le Goût des autres)*

*

— Ce que je fais pour vivre n'est peut-être pas très respectable, mais c'est comme ça. Et dans cette ville, je suis encore le lépreux qui a le plus de doigts. *(Two Jakes)*

*

— Acceptez-vous de prendre pour épouses ces demoiselles ici présentes, et de voter pour moi ? *(La Zizanie)*

*

— Les généraux qui meurent à la guerre commettent une faute professionnelle. *(Fanfan la Tulipe)*

*

— Quand on n'est pas le percepteur, on n'a pas le droit de voler le monde ! *(Cigalon)*

*

— J'ai commencé dans une école de cuisine très sélecte mais ils m'ont renvoyée parce que j'avais fait brûler quelque chose.
— Vous aviez fait brûler quoi ?
— L'école. *(Show Business)*

*

— Tu as disparu du jour au lendemain sans même me laisser un mot. Tu n'as jamais répondu aux lettres que je t'ai envoyées.

— Je ne les ai jamais ouvertes. Je les déchirais et je les jetais au feu.

— Ah bon. Tu n'as donc pas eu le chèque de 1 million de francs légué par ton oncle ? *(Y a-t-il un flic pour sauver la reine ?)*

*

— Est-ce que l'un de vos parents ou de vos ancêtres est décédé d'une mort non naturelle ?

— Mon grand-père. Problèmes de la gorge. En fait, on l'a pendu. *(Insurance)*

*

— J'en ai assez d'être aimé pour moi-même. J'aimerais être aimé pour mon argent. *(Docteur Popaul)*

*

— Qu'est-ce que les gens dépourvus d'arbre généalogique peuvent savoir des fantômes ? *(Le Fantôme de Canterville)*

*

— Le roi sera accompagné de sa fille, la princesse Anna, une des femmes les plus socialement désirables du monde.

— Socialement désirable ? Ça veut dire qu'elle est moche ? *(Ralph Super King)*

*

— Des milliers d'hommes se sont mariés uniquement pour éviter l'armée.
— C'est comme se couper la gorge pour éviter les laryngites ! *(L'Engagé involontaire)*

*

— Je ne trouve pas ça juste de passer un test que nous n'avons pas préparé !
— Mais, les gars, ce n'est qu'un putain d'examen d'urine ! *(29th Street)*

*

— Écoutez, monsieur, voulez-vous être assez aimable pour vous occuper de vos affaires. Est-ce que je m'occupe des vôtres, moi ? Nous ne sommes pas voisins, que je sache. *(Préparez vos mouchoirs)*

*

— Ma mère est morte quand j'avais six ans. Mon père m'a violée quand j'en avais douze...
— Ah... vous avez quand même eu six années relativement bonnes... *(Arthur)*

*

— Je n'ai le droit de voir mon fils qu'une semaine par an !
— Vous auriez dû engager un meilleur avocat. Ce n'est pas normal de l'avoir si longtemps ! *(Le Jouet)*

*

— Pour t'être battu sans permis, tu écoperas de trente jours de prison. Pour avoir attenté à ma personne, ce sera la guillotine. Je veux bien cependant te faire une faveur : j'annule la peine de trente jours. *(La du Barry était une dame)*

*

— Quelle est la principale exportation de San Marcos ?

— La dysenterie. *(Bananas)*

*

Sans la police, tout le monde tuerait tout le monde. Et il n'y aurait plus de guerre. *(La Fête à Henriette)*

*

— Depuis six mois, je déjeune du souvenir du dîner que je n'ai pas fait la veille. C'est rigolo, mais monotone... *(Entrée des artistes)*

*

— Il faut être intelligent pour être président. Laissez-moi être vice-président, ça, c'est un vrai job pour les idiots ! *(Bananas)*

*

Les hommes politiques, les immeubles immondes et les prostituées finissent par devenir respectables pour peu qu'ils durent. *(Chinatown)*

*

— Vous êtes un journaliste. Je le sens. Je les ai toujours sentis. Permettez-moi d'ouvrir la fenêtre. *(La Joyeuse Suicidée)*

*

Kirk Douglas, journaliste :
— Je traite les grandes et les petites informations, et s'il n'y a pas d'information du tout, je sors dehors et je mords un chien. *(Ace in the hole)*

*

— En d'autres termes, je suis renvoyé ?
— Pas en d'autres termes, ceux-ci sont parfaits. *(Drôle de couple)*

*

— Bon, tu veux apprendre. Première leçon : un vase étrusque n'est pas un pot de fleurs. *(L'Esclave du gang)*

*

— Tu préfères mourir en héros ou vivre comme un rat ?
— Apporte-moi le fromage ! *(Abbott et Costello contre Frankenstein)*

*

— La révolution, c'est comme une bicyclette : quand elle n'avance plus, elle tombe.
— Eddy Merckx !
— Non, Che Guevara ! *(Les Aventures de Rabbi Jacob)*

*

— Je n'ai pas toujours été riche. Il y a des époques où je ne savais même pas qui serait mon prochain mari ! *(Lady Lou)*

*

— Un homme riche, c'est comme une jolie fille. On ne se marie pas avec une fille seulement parce qu'elle est jolie mais, mon Dieu, cela aide tout de même un peu... *(Les hommes préfèrent les blondes)*

*

— Vivre ici c'est comme attendre le début de funérailles. Ou plutôt, c'est comme attendre dans un cercueil que quelqu'un vous en sorte. *(La Garce)*

*

— J'ai vu une Anglaise. On aurait dit qu'elle était en train de respirer un poisson mort. *(La Malle de Singapour)*

*

— Il est facile de comprendre pourquoi les plus beaux poèmes sur l'Angleterre au printemps ont été écrits par des poètes résidant en Italie. *(Le Fantôme de Mrs Muir)*

*

— Oh juge, je ne jure jamais ! *(Les hommes préfèrent les blondes)*

*

— J'ai une bonne famille, papa était général.
— Et qu'est-ce qu'il pense de tout ça, ton père ?
— Rien, il est mort à la déclaration de guerre... l'émotion... Il s'y attendait si peu ! *(Souvenirs perdus)*

*

— Conduire dans Paris, c'est une question de vocabulaire *(Mannequins de Paris)*

*

— Être riche ce n'est pas avoir de l'argent – c'est en dépenser. *(Le Roman d'un tricheur)*

*

— Du banc des ministres au ban de la société, il n'y a que l'espace d'un faux pas. *(Yvette)*

*

— Le procureur veut séparer le motif de l'acte. C'est comme essayer de retirer le trognon d'une pomme sans toucher la peau. *(Autopsie d'un meurtre)*

*

— L'économie est une arme. La politique consiste à savoir quand appuyer sur la gâchette. *(Le Parrain 3)*

*

— C'était l'époque où je travaillais comme pianiste, dans un restaurant panoramique, au dernier étage d'un hôtel international, avec vue imprenable sur la capitale. Je vous fais cadeau de la description du décor : ça aurait pu tout aussi bien se passer à Montréal, à Zurich ou ailleurs. Y aurait eu la même proportion d'Américains, de Japonais, de Saoudiens, les mêmes créatures aux yeux fatigués d'avoir trop compté les dollars. Je pouvais leur jouer n'importe quoi : Gershwin, Chopin, Art Tatum, de toute façon, ils n'écoutaient pas. Tout ce qu'on me demandait, c'était de faire le moins de bruit possible, juste un peu d'ambiance, quelque chose de ouaté, comme un velours, pour accompagner leur saint-émilion, leur Shrimp Cocktail, leur T-Bone steak. Alors, je jouais pour moi tout seul, des vieux airs de Bud Powell, dont j'essayais de retrouver le phrasé, sans jamais y parvenir, car je ne parvenais jamais à rien. Je m'étais fixé jusqu'à trente ans pour réussir quelque chose dans la vie. Et j'avais vingt-neuf ans et demi. Il me restait plus que six mois. En attendant, on me filait cent cinquante balles par soirée, plus la bouffe, et la boisson à volonté. J'étais content. J'avais un beau piano blanc. *(Beau-Père)*

— Aucune femme ne se présentera aux présidentielles. Ça serait admettre qu'elle a plus de trente-cinq ans. *(L'Enjeu)*

*

— Depuis quelle heure il boit, ton milliardaire ?
— Tu veux dire depuis quel âge ? *(Jet-Set)*

*

— Comment ça va, mon pouce, docteur ?
— Je vous le dirai quand je l'aurai retrouvé. *(Fous d'Irène)*

*

— Avez-vous remarqué que tous les prix se terminent par un 9 ? *(Clerks)*

*

— Les bonnes, on les forme, elles s'en vont et c'est leur mari qui en profite ! *(Le Juge et l'Assassin)*

*

— Je tiens à vous signaler qu'il est trois heures du matin et que je me lève à cinq heures pour aller aux halles. Alors, vous allez arrêter votre zinzin sinon, je vais chercher les flics.
— Tu vas taire ta gueule et écouter Mozart avec nous !... le concerto pour clarinette !
— J'en ai rien à branler de la musique. Moi, ce que j'aime c'est le silence.

— Gervase de Peyer !... le plus grand clarinettiste du monde ! Assieds-toi, ferme ta gueule et ouvre tes oreilles. C'est un cadeau qu'on te fait !

— Mais puisque je vous dis que ce que je veux c'est dormir, tout simplement dormir... Je suis fatigué... Je suis un petit commerçant fatigué... bouffé par les grandes surfaces... pourchassé par les huissiers... j'ai le fisc au cul... j'ai l'URSSAF au cul... j'ai la caisse de retraite au cul... j'ai la France entière au cul... et je peux même pas dormir à cause de votre musique !... J'en ai rien à foutre de votre Mozart, je le connais pas ce mec-là, je l'emmerde !... Ou alors qu'il me prête du pognon pour honorer mes traites ! *(Préparez vos mouchoirs)*

*

— Je vous dérange ?

— On ne me dérange jamais quand je mange avec ma belle-mère. *(Est-ce bien raisonnable ?)*

*

— Le manque de preuves n'est pas une circonstance atténuante. *(Verdict)*

*

— Qu'est-ce qu'on peut faire avec six milliards ?

— Rien. C'est ça, l'agrément. *(Le Guignolo)*

*

— Je n'étais pas assez reluisant. Vous ne pouviez décemment pas admettre au sein d'une aussi noble assemblée un pilier de bistro qui vit ouvertement avec sa maîtresse. S'il avait au moins la pudeur d'aller boire dans des établissements chic, d'être l'amant de la femme d'un autre, on aurait de l'indulgence ! Et par-dessus le marché, il est franc ! C'est inadmissible ! *(Non coupable)*

*

— J'avais cinq lettres des impôts pour vous, alors je suis monté.

— Ça tombe bien, j'allais allumer le feu. *(Le Tatoué)*

*

— S'il faut toujours dire la vérité à la clientèle, il n'y a pas de commerce possible. *(César)*

*

— Deux milliards d'impôts nouveaux ! Moi, j'appelle plus ça du budget, j'appelle ça de l'attaque à main armée. *(La Chasse à l'homme)*

*

— Je me demande seulement si elle t'aimerait sans le sou...

— Mais elle ne me demande jamais d'argent !

— Elle n'a pas le temps, tu lui donnes tout de suite ! *(Le Chemin des écoliers)*

*

— Vous êtes une bande de cocus, vous l'avez toujours été d'ailleurs et puis vous le serez encore ! Sans le savoir bien sûr, comme tout le monde. Vous avez payé la taille et la gabelle, les impôts du clergé, maintenant, c'est la surtaxe progressive et la taxe professionnelle... et puis la vignette... la vignette pour un an... pour les petits vieux. Vous avez été faire la guerre de Cent Ans, les guerres de religion, vous avez endossé la cuirasse pour prendre Jérusalem, vous vous êtes saignés pour les fourriers de l'Empire, on vous a filé des bandes molletières à Verdun, vous les aviez encore à Dunkerque et ça fait deux mille ans que ça dure, bande de patates ! Non, croyez un homme qui a fait ses humanités, un homme qui parle le grec et le latin, vous êtes tous des cons. Moi aussi d'ailleurs. *(Le Tonnerre de Dieu)*

— Président de la Croix-Rouge, président du Rotary, président de mes fesses... Présidents de tout et de n'importe quoi, et parmi eux, moi, président de mes couilles à vie. Regarde-les tous ces cons de première classe... je les enfouis dans la gangue incassable de mon profond mépris, dont je suis président d'honneur. *(Y a-t-il un Français dans la salle ?)*

*

— Lui ? Allons donc ?... Je suis sûre que c'est un homme absolument désintéressé, et parfaitement incapable...

— Oui, parce qu'il est mal habillé, vous lui prêtez de grands sentiments. *(Topaze)*

*

— Mais les gens riches sont donc si différents de nous...

— Oui, ils ont plus d'argent. *(Nouvelle Vague)*

*

— Si la connerie n'est pas remboursée par les assurances sociales, vous finirez sur la paille ! *(Un singe en hiver)*

*

— Il n'y a pas de honte à être pauvre... il y en a seulement à s'habiller comme un pauvre. *(La Grande Zorro)*

*

— Cela vous coûtera deux cents dollars.
— Deux cents dollars !!!
— C'est deux cents dollars ou rien.
— OK. On le prend pour rien alors. *(Cash and carry)*

*

— L'argent ne fait pas le bonheur.
— Non, mais il l'achète à ceux qui le font. *(Topaze)*

*

— On devient pas flic, on finit flic. *(Pile ou face)*

*

— La guerre... le seul divertissement de roi où les peuples aient leur part ! *(Fanfan la Tulipe)*

*

— Mon boulot est d'apprendre à ces indigènes le sens de la démocratie et ils vont apprendre la démocratie, croyez-moi, même si je dois pour cela les tuer les uns après les autres ! *(La Petite Maison de thé)*

*

— J'ai une licence de sociologie et je ne sais pas quoi faire avec...
— Ouvrez un magasin de sociologie ! *(The one and the only)*

*

— Mon père est né à Moscou, ma mère à Vladivostok et moi à Saint-Pétersbourg.

— Ah bon... coup de chance de vous être retrouvés, dites donc ! *(Half shot at sunrise)*

*

— Je ne connais pas votre père mais lui n'a pas eu vos vingt ans. Alors, arrangez-vous pour ne pas avoir sa cinquantaine ! *(Entrée des artistes)*

*

— Je suis la colonne vertébrale de ma famille...

— En ce cas, votre famille ferait bien d'aller voir un chiropracteur. *(Je veux être une lady)*

*

— Je ne peux pas manger ce canard. Renvoyez-le au patron !

— Inutile... lui non plus ne voudra pas le manger. *(Half shot at sunrise)*

*

— C'est pas beau des travailleuses !

— Il ne peut pas y avoir que des putes.

— Et pourquoi pas ? Des travailleurs et des putes, au moins comme ça on saurait pourquoi on travaille. *(On ne meurt que deux fois)*

*

— À chaque fois que je vais au garage, ils me regardent comme si j'étais stupide et ils me disent : « C'est l'allumage, ma belle », comme si je savais ce que c'était que l'allumage. Ce que je sais en tout cas c'est que l'allumage coûte 50 dollars mais que « C'est l'allumage, ma belle », ça coûte 200 dollars ! *(Wisecracks)*

*

— Ne soyez pas si dur avec mes secrétaires. Elles sont tellement douces et compréhensives quand je rentre au bureau après une dure journée passée à la maison ! *(Femme aimée est toujours jolie)*

*

— Il voulait abattre la famille royale et mettre en usine tous ceux qui avaient fréquenté les écoles privées. Ton père, vois-tu, étais un idéaliste. *(Morgan)*

— Je crois en la révolution par la violence mais j'aurais moi du mal à donner une pichenette à une nonne. *(Tell me lies)*

*

— Un vent nouveau souffle sur le pays, le vent de l'indépendance. Et il apporte avec lui l'oiseau de la liberté qui lâchera l'œuf de la démocratie juste sur ton crâne ! *(La Grande Zorro)*

*

— Mon père est à Vichy. C'est un homme qui a la légalité dans le sang. Si les Chinois débarquaient, il se ferait mandarin... Si les Nègres prenaient le pouvoir, il se mettrait un os dans le nez... si les Grecs... *(Un taxi pour Tobrouk)*

*

— Vous avez ruiné mon système nerveux, mis à mal ma réputation, vous m'avez fait perdre de l'argent, des clients et du temps.

— Cela voudrait-il dire que mon travail ne vous satisfait pas, chef ? *(They got me covered)*

*

— C'est un très bon contrat. Vous savez, la première fois que je l'ai lu, je n'ai pas su si c'était la somme que vous alliez me payer ou bien mon numéro de Sécurité sociale. *(Le Milliardaire)*

*

— Il y a des patrons de gauche, je tiens à vous l'apprendre.

— Il y a aussi des poissons volants, mais ils ne constituent pas la majorité du genre. *(Le Président)*

*

— Mes parents ne sont pas vraiment des esprits libérés. Pour eux, être créatif, c'est acheter à bas prix et vendre au plus haut. *(Betsy's wedding)*

*

— En Italie, pendant trente années, sous le règne des Borgia, ce ne fut que guerres, terreurs, meurtres et bain de sang. Cela a produit Michel-Ange, Léonard de Vinci et la Renaissance. En Suisse, il y a eu de la fraternité, cinq cents années de démocratie et de paix. Et qu'est-ce que cela a produit ? L'horloge à coucou... *(Le Troisième Homme)*

— Je suis toujours ravi de voir un politicien avec les mains dans ses propres poches. *(Votez pour moi)*

*

— Peut-être que vous ne savez pas à qui vous avez affaire...

— Non, je ne sais pas.

— Trudy Olsen, la fille du maire.

— Ah... mais peut-être que vous non plus vous ne savez pas à qui vous avez à faire...

— Non, je ne sais pas...

— Dieu soit loué ! *(You can't beat love)*

*

— Ce n'est pas drôle, quand je mens, tout le monde s'en aperçoit. Je devrais faire de la politique, là au moins tout le monde s'en foutrait. *(Un cœur à prendre)*

*

— Je suis un prestidigitateur.

— Je ne savais pas. Je suis moi-même démocrate. *(Boston Blackie's chinese venture)*

*

— Je me suis hissé moi-même de rien du tout jusqu'à un état d'extrême pauvreté. *(Monnaie de singe)*

*

— Vous n'avez pas signé votre chèque...

— Naturellement.

— Mais sans votre signature il ne vaut rien !

— C'est ce que vous croyez. Prenez-le comme ça parce que si je le signe alors il ne vaudra effectivement plus rien. *(Copacabana)*

*

— Dites donc, mon petit père, si vous voulez prendre de la fraîche, faut aller braquer les prolos. Aujourd'hui, c'est les damnés de la terre qu'ont le pognon, vous êtes en retard d'une révolution. À partir d'un certain chiffre on vit à Kroum, on paie plus, on signe ! *(Bons Baisers à lundi)*

*

— Si vous persistez à ne pas arriver à l'heure, je devrai prendre une autre secrétaire !

— Et vous pensez qu'on aura suffisamment de travail pour deux ? *(Une demoiselle en détresse)*

*

— J'ai failli épouser Caroline de Monaco. Puis ça s'est pas fait. Une question de TVA, une connerie. *(Le Quart d'heure américain)*

*

— C'est pas le George V.

— T'es pas non plus l'Aga Khan. *(Grand Guignol)*

*

— Quelle est la marque de champagne la plus classe du magasin ?
— Mumf est en vente à 13,82 dollars.
— Vraiment, c'est tout ? Vous n'avez pas un truc classe à 80 ou 100 dollars la bouteille ?
— Prenez 10 bouteilles de Mumf. *(Mon beau-père et moi)*

*

— Travailler quand on ne sait rien faire, c'est prendre la place d'un autre et l'empêcher de gagner sa vie, c'est très vilain. *(Ils étaient neuf célibataires)*

*

— Un coupable est moins dangereux en liberté qu'en prison.
— Pourquoi ?
— Parce que, en prison, il contamine les innocents. *(Buffet froid)*

*

— C'est comment Washington ?
— On dirait Calcutta. Sauf que les mendiants portent des costards à 15 000 dollars et ne disent pas merci. *(Traffic)*

*

— Avec un trésor, on peut vivre pauvre. *(L'Étoile du Nord)*

*

— Je t'ai déjà vu emprunter.

— Oui, mais jamais des petites sommes, et surtout jamais à des petites gens. Quand on prête à Jérôme Antoine, on passe un ordre à son banquier, on casse pas sa tirelire. Détrousser les petits épargnants est le fait d'adolescents crapuleux ou de ministres chevronnés, ce que je n'ai jamais été, ni ne serai. *(Le Baron de l'Écluse)*

— J'ai discuté les prix chez les marchands.
— Pourquoi ?
— Pour qu'ils perdent le moins possible dans le cas où je ne les paierais pas. *(Ils étaient neuf célibataires)*

*

— Je rêvais d'un fils unique et j'ai eu deux imbéciles. Les voir évoluer le matin, ça me met mal à l'aise. C'est comme porter un pull de laine à même la peau. *(Kennedy et Moi)*

*

— Vous faites quoi dans la vie ?
— Ce que je fais ?! Je suis le personnage clef d'une machination gouvernementale, un complot destiné à cacher la vérité au sujet de l'existence d'extraterrestres. Une conspiration mondiale dont les acteurs se trouvent au plus haut niveau du pouvoir et qui a des conséquences dans la vie de chaque homme, femme et enfant de cette planète. Alors personne ne veut me croire, évidemment. *(X-Files)*

*

— Dans la vie, pourquoi ne pourrait-on pas tout avoir ? Puisqu'il y en a qui n'ont rien ! Ça rétablirait l'équilibre. *(Carambolages)*

*

— Ça sent la fraude fiscale.
— À quoi tu sens ça ?
— À l'épaisseur de la moquette. *(Tenue de soirée)*

*

— Mais qu'est-ce que Cromwell nous emmerde à faire des conférences ? Ce con a 60 millions de dettes ! Des conférences sur la façon de perdre son fric ! Non mais, c'est pas vrai ! S'il était croque-mort, plus personne ne mourrait ! *(Wall Street)*

*

— Dans la plupart des grandes villes, les gens ont l'art de ne pas se mêler des affaires des autres. On recommande aux femmes, si jamais elles se font agresser, de ne jamais appeler au secours, il faut crier au feu. Si vous criez au secours, personne ne vient. *(Seven)*

*

— Jenny est le stéréotype parfait de l'adolescente : hargneuse, paumée, mal dans sa peau. J'aimerais pouvoir lui dire que ça va s'arranger, mais, je ne peux pas lui mentir. *(American Beauty)*

*

— Ce sont les pauvres qui sont fous à lier. Nous, les riches, on est excentriques ! *(Speed)*

*

— Tu crois ça ?
— Évidemment.
— Mais c'est absurde.
— Notre système électoral aussi, ça ne nous empêche pas de voter. *(Séquences et Conséquences)*

*

— Mon Dieu, le ministre irakien de la Défense vient de se suicider !

— Oh... c'est bien ou pas ? *(Au nom d'Anna)*

*

— C'est le béton qui nous rend marteau !... Les terrains vagues !... Cet univers déshumanisé qui nous entoure !... La cité !... monstrueuse et sans âme !... Moi, j'ai envie de voir des arbres !... J'ai envie d'entendre des oiseaux chanter ! C'est pour ça que je tue les femmes seules ! Parce que, au moment où elles meurent, j'ai l'impression d'entendre un oiseau... qui pousse un petit cri... C'est comme si je me promenais dans un sous-bois... Ça m'oxygène... *(Buffet froid)*

*

— Les Russes, je les adore individuellement, mais dès qu'ils sont deux, j'ai peur qu'ils se disputent et sitôt qu'ils sont trois, j'ai peur qu'ils soient d'accord – et d'accord contre moi. *(Ils étaient neuf célibataires)*

*

— Donner de l'argent à un paresseux, c'est donner de l'absinthe à un alcoolique. *(La Vie d'un honnête homme)*

*

— Vous allez toucher la récompense de 100 millions pour le youkounkoun !

— Alors, je suis pas si councoun que j'en ai l'air ! *(Le Corniaud)*

LA GRANDE BOUFFE

— On peut se gourer sur la peinture, sur la musique mais pas sur la bouffe. C'est le seul art qui ne mente pas. *(Que la bête meure !)*

*

— Que désirez-vous manger ?
— Betteraves et carottes râpées.
— C'est un restaurant ici, pas un pré. *(Ninotchka)*

*

— Pas très frais mes oursins ?... Je viens de les ouvrir.
— C'est ça, ils sentent un peu le renfermé. *(Hôtel du Nord)*

*

— Est-ce que vous mangez une tomate ou bien s'agit-il de votre nez ? *(Sans peur et sans reproche)*

*

— Pourquoi tu prends de l'aspirine dans le champagne ?

— Parce que le champagne me donne mal à la tête. *(Avec les compliments de l'auteur)*

*

— La contribution de l'Angleterre à la gastronomie : la chips. *(Un poisson nommé Wanda)*

*

— Tu sais ce qu'ils mettent sur les frites en Hollande à la place du ketchup ?

— Non, quoi ?

— De la mayonnaise.

— Les salauds... *(Pulp fiction)*

*

— Qu'est-ce que c'est que ça ?

— Des sushis.

— Sushis ?

— Riz, poisson cru et algues.

— Tu ne supportes pas la langue d'un garçon dans ta bouche et tu arrives à manger ça ? *(Breakfast club)*

*

— Je suis une œuvre d'art créée par les plus grands cuisiniers de cette planète ! Chaque bourrelet est un coup de pinceau, chaque repli est un sonnet, chaque menton, un concerto. En bref, docteur, dans l'état actuel, je suis une pièce de maître ! *(La Grande Cuisine)*

*

— Vous n'allez pas manger des choux farcis après des tripes ?

— Si.

— Mais à votre âge ça peut être dangereux !

— J'ai toujours vécu dangereusement. *(Le Tatoué)*

— Qu'est-ce que vous pouvez me faire à manger ?
— Chili et haricots.
— Quoi d'autre ?
— Chili sans haricots. *(Un homme est passé)*

*

— J'ai des sandwichs marron et des sandwichs verts. Que veux-tu ?
— C'est quoi le vert ?
— Ou bien c'est du fromage très récent ou bien de la viande très vieille.
— J'en veux un marron. *(Drôle de couple)*

*

— Débarbouille-toi ! La Tuborg, c'est fait pour ça !... Y a rien de tel pour se remettre la bouche à neuf ! Ça glisse ?
— Ça glisse...
— À la bonne heure !... Tiens ! Essaye le museau ! Les trucs salés, ça passe tout seul... Prends de la moutarde ! Prends des cornichons ! Épice à mort ! Ça donne soif. Tu veux du saucisson à l'ail ?
— Non... Non merci...
— Eh bien, moi, je vais en prendre !
— Ah ! l'admirable cholestérol qu'on va se payer ! Avoue que ça vaut quand même mieux que des barbituriques ! *(Calmos)*

*

— Si vous prenez le jaune de quatre œufs, trois tasses de farine, un gros morceau de lard, un peu de beurre et que vous les mélangiez, au bout du compte vous vous retrouvez avec quoi ?

— Une indigestion. *(Procès de singe)*

*

— Son père a été le premier à servir des spaghettis avec du bicarbonate de soude, le seul plat qui cause et guérit à la fois l'indigestion. *(Une nuit à l'opéra)*

*

— Bouillabaisse provençale au poisson de roche : un kilo de rascasses, des capelans, de la baudroie, roucaou Saint-Pierre et quelques cigales de mer. Ces poissons, quand je les ai mis dans la marmite, ils remuaient encore la queue, monsieur le Comte, tous ensemble ! On aurait dit des applaudissements ! *(Cigalon)*

*

— Les cannellonis, monsieur le Comte, c'est un morceau de pâte carré. On y roule dedans, comme si vous rouliez une cigarette, tous les rebuts de la semaine. Les viandes gâtées, les épinards aigris, les saucisses crevées, enfin tout ce qu'il faudrait jeter. En somme, les cannellonis, c'est une cigarette de bordille. Et c'est commode, parce que ça nettoie la cuisine. Ça supprime les déchets. Au lieu de les jeter dans la rue, on les jette dans les clients. *(Cigalon)*

*

— Walter, voulez-vous servir les andouilles, s'il vous plaît ? Enfin, je veux dire servir les andouilles aux invités ! *(L'Introuvable)*

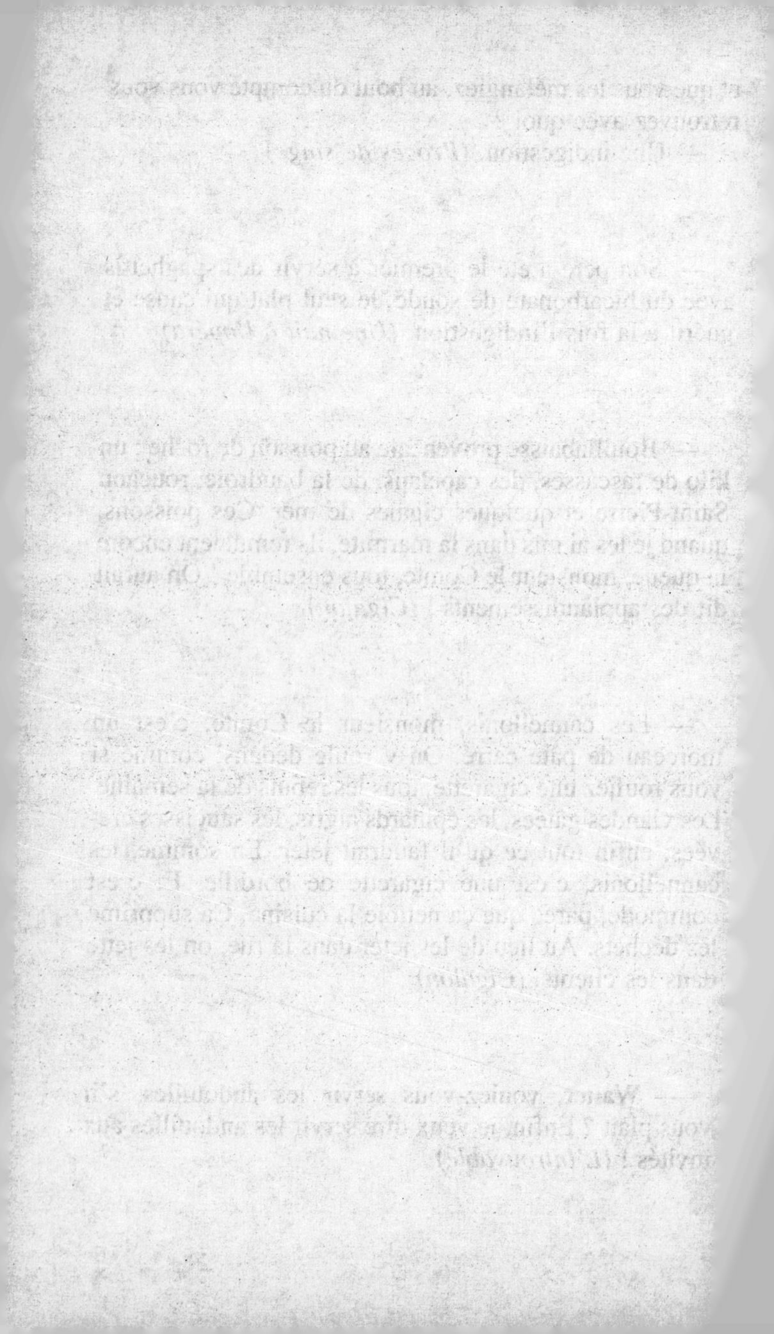

BUFFET FROID

— Quand les types de 130 kilos disent certaines choses, les types de soixante kilos les écoutent. *(100 000 dollars au soleil)*

*

— Ce que tu sais, ce que tu ne sais pas... j'en ai rien à foutre... de toute façon, j'ai décidé de te torturer. *(Reservoir dogs)*

*

— Donc, tu veux le tuer...
— Pour commencer, oui. *(Miller's crossing)*

*

— Tellement de flingues dans cette ville et si peu de cervelle... *(Le Grand Sommeil)*

*

— Vous pensez que je suis le meurtrier. Qu'est-ce que je peux faire pour vous convaincre que ce n'est pas moi... être la prochaine victime ?

— Ce serait un début. *(Charade)*

*

Sur la vie du policier :

— On n'a pas beaucoup d'instruction au départ. On navigue dans toutes les eaux. On se frotte à des tas de gens. J'ai appris la gravure avec un faussaire, la comptabilité avec un escroc, y a même un danseur mondain qu'a voulu me donner des leçons de tango – mais là rien à faire, j'avais pas de dispositions. *(Quai des Orfèvres)*

*

— Comment était-il ?

— Il était drôle. Vous savez, les psychopathes le sont si on ne les bouscule pas trop. *(La Toile d'araignée)*

*

— Catherine, c'était une petite fille...

— Ah, t'appelles ça une petite fille ? Et les trottoirs, t'appelles ça comment ? Des jardins d'enfants ? *(Le Diable et les Dix Commandements)*

*

— Entre nous, Dabe, une supposition, je dis bien une supposition, que j'aie un graveur, du papier, et que j'imprime pour un milliard de biffetons. En admettant, encore une supposition, qu'on soit cinq sur l'affaire, ça laisserait, net, combien à chacun ?

— Vingt ans de placard. Les bénéfices, ça se divise, la réclusion, ça s'additionne. *(Le cave se rebiffe)*

*

— Si tu connaissais les chevaux comme tu connais les hommes, le quarté de demain, ce serait dans la poche.

— Seulement voilà, j'ai pas couché avec des chevaux ! *(Les Ripoux)*

*

— Je me méfie : avec l'augmentation de la recrudescence, j'ai peur ! *(Viens chez moi, j'habite chez une copine !)*

*

— Tu turbines aux Champs-Élysées ?

— Non. Au Bois maintenant. Mon homme dit que c'est plus sain pour mes bronches. *(Razzia sur la chnouf)*

*

— La rue principale, citoyen ?

— Laquelle ? Pour moi, la rue principale, c'est celle où il y a le plus de bistrots ! *(Deux heures moins le quart avant Jésus-Christ)*

*

— Quoi, tu veux être le chef de la bande, c'est ça
— Non, non, je suis d'accord avec toi, on a dit pa
de chef...
— Bon alors tu te tais et tu fais ce que je te di
(Bandits, bandits)

*

— Je n'ai jamais rien volé sauf une écuelle, un jou
à un chien qui en avait deux. *(Le Juge et l'Assassin)*

*

— Regrettez-vous votre crime ?
— Oui. Si vous me condamnez. *(La Poison)*

*

— Quand on vous regarde, on n'imagine pas le papil
lon, mais on distingue parfaitement la larve. *(Vidange*

*

— C'est autrement plus coton d'écouler de la mar
chandise que de la faucher. Faut des connaissances, de
relations. Voler, c'est juste un réflexe. *(La Métamor
phose des cloportes)*

*

— S'il y a une chose que j'ai apprise dans la vie
c'est bien qu'il vaut mieux avoir un flingue et ne pa
avoir besoin de s'en servir que d'avoir besoin de s'e
servir et de ne pas en avoir. *(True Romance)*

*

— Ne t'inquiète pas, je ne la tuerai pas si tu n'es pas d'accord.

— Et si je ne suis pas d'accord ?

— Eh bien, nous causerons jusqu'à ce que tu sois d'accord. *(Tequila Sunrise)*

*

— Un petit quidam, ça ne fait pas de vague... Tu tues une baleine, t'auras les écolos, t'auras Greenpeace, t'auras le commandant Cousteau sur le dos ! Mais décime un banc de sardines, j'aime autant te dire qu'on t'aidera à les mettre en boîte ! *(C'est arrivé près de chez vous)*

*

— C'est avec cette mitraillette-là qu'Al Capone a fait son premier carton... à Michigan Avenue... un nommé Cosimaco... une vraie partie de golf... dix-huit trous ! *(Le Saint)*

*

— Si tu n'as pas mon argent, je t'éclate la gueule en public. Et avec un peu de chance, le jour où je sortirai de prison, toi tu sortiras du coma. Et alors, devine quoi ? Je t'éclaterai encore une fois ta putain de gueule. *(Casino)*

*

— Je vais te frapper si fort que le coup va tuer toute ta famille ! *(Dîner)*

*

— Je n'ai jamais vu un cadavre dans cet état depuis que j'ai résolu l'affaire du meurtre de la fille aux gros seins. *(Les cadavres ne portent pas de costards)*

*

— Tu es toujours cool, hein ? Tu es toujours cool... j'aimerais un jour te voir hurler de souffrance...

— Mets-moi un disque de rap... *(Le Dernier Samaritain)*

*

— Qu'est-ce qui se passe ?

— Rien. Juste une intuition...

— Hé, quand tu as ce genre d'intuition en général les compagnies d'assurances se préparent à faire faillite ! *(58 minutes pour vivre)*

*

— Qui est le patron, toi ou maman ?

— Qui est le patron ? Tu le demandes ? Je suis le patron. Maman ne fait que prendre les décisions. *(Maudite Aphrodite)*

*

— Pourquoi est-ce que ce sont toujours les voleurs qui ont les meilleures voitures ? *(Deux Flics à Chicago)*

*

— Vous savez quelle est la différence entre un con et un voleur ?... Un voleur, de temps en temps, ça se repose ! *(Le Guignolo)*

*

— Cette ville pue comme un bordel à marée basse ! *(Les Incorruptibles)*

*

— Croyez-moi, j'ai le bras long !
— Et nous, on l'a musclé ! *(Inspecteur la Bavure)*

*

— Je voudrais être détective. Ça demande de la cervelle, du courage et un pistolet. Et j'ai déjà le pistolet. *(La Brune de mes rêves)*

*

— Votre visage ne me revient pas.
— Si on pouvait appeler ce que vous portez un visage, il ne me reviendrait pas non plus. *(Never say die)*

*

— Un crétin chimiquement pur... je me demande où tu vas le chercher ?
— Quai des Orfèvres. Je suis fidèle à mes fournisseurs. *(Le Pacha)*

*

— Une lance me transperçait le corps...
— Et ça ne vous faisait pas mal ?
— Seulement quand je riais. *(Propre à rien)*

— Tu n'es pas un monstre... tu ressembles à un monstre, c'est tout. *(Un crack qui craque)*

*

— Comment se fait-il que vous ne pouvez pas supporter la vue du sang sauf s'il s'agit du mien ? *(La Femme modèle)*

*

— Si tu me touches, j'appelle les flics !
— Si je te touche, tu appelles une ambulance. *(Une femme dangereuse)*

*

— Avec vous, si j'avais le choix des armes, je choisirais la grammaire, monsieur. *(Grande Dame pour un jour)*

*

— Mon père lui a fait une offre qu'il ne pouvait refuser. Luca Brasi lui pointait un pistolet sur la nuque et mon père l'a assuré que soit son cerveau soit sa signature finirait sur le contrat. *(Le Parrain)*

*

— Il n'est pas aussi fort qu'il le croit.
— Oui, mais nous non plus. *(L'Arnaque)*

*

— J'aime les femmes en bikini. Elles ne cachent pas d'armes. *(L'Homme au pistolet d'or)*

*

— J'ai la chair de poule. D'une poule qui aurait elle-même la chair de poule. *(Le Mystère de la maison Norman)*

*

— Je ne vous colle pas mon poing sur la gueule, je pense que ce n'est pas la peine...

— Non, non, ce n'est pas la peine... *(Les Bronzés font du ski)*

*

— Big Jim a été un maître pour moi. Quand j'étais gamin, il m'a attrapé un jour en train de voler un enjoliveur de sa voiture et il m'a dit : « Gamin, ne pique pas l'enjoliveur, pique la voiture ! » *(Les Sept Voleurs de Chicago)*

*

— Marcel, tu vas faire une petite piqûre à monsieur. C'est du penthalbarbitalsodique. Les nazis s'en servaient pour stimuler la cervelle. Il paraît que pour la mémoire, c'est meilleur que le poisson. *(Mort d'un pourri)*

*

— Tu suggères d'essayer de le provoquer pour qu'il nous assassine ?
— Ça te pose un problème ?
— Apparemment. À moins que je vienne soudain de contracter la maladie de Parkinson. *(Meurtres mystérieux à Manhattan)*

*

— Je vais démonter la grille. Et puis après on va te tenir, on va bien te tenir à l'horizontale, comme un sauciflard, et on va te pousser doucement la tête dans le ventilo...
— J'ai pas envie de mourir !
— Alors, t'as envie de quoi ?
— Je voudrais aller au cinéma.
— Voir quoi ?
— Y a des trucs chouettes en ce moment ?
— Y a un film bouleversant qui s'appelle *Morne plaine*. C'est une histoire qui se passe dans le Nord. Sur l'angoisse du chômeur qui regarde son terril. C'est en noir et blanc. Joué par des amateurs.
— Allez-y, butez-moi ! *(Les Acteurs)*

*

— Votre demande n'est pas sans ressemblance avec votre gros côlon : puante et chargée de danger ! *(Ace Ventura)*

*

— Ton père, quand il me regarde, j'ai l'impression qu'il me soulève ! *(La Gifle)*

*

— On ne voit jamais quelqu'un qui pleure en lisant les journaux, qui sont pourtant remplis de crimes ! Et dans une salle de cinéma, ils chialent tous pour peu que Jean Gabin tue Danièle Delorme ! *(Assassins et Voleurs)*

*

À un gendarme :
— Vous avez un mandat ?
— Vous vous gourez d'uniforme, je ne suis pas facteur ! *(Pinot, simple flic)*

*

— Ouvrir un coffre... on croit que ça prend cinq minutes et puis ça prend cinq piges ! *(Est-ce bien raisonnable ?)*

*

— Écoutez, Pozzo, maintenant il faut vous mettre à table... ou je retire le couvert et je vous embarque à jeun ! *(Maigret voit rouge)*

*

— Vous, Torence, vous irez au Manhattan, mais attention... des inspecteurs bretons dans un décor américain, ça fait tache ! *(Maigret voit rouge)*

*

— Avec un pistolet dans la bouche, on ne peut prononcer que les voyelles ! *(Fight club)*

— Moi qui croyais cette affaire réglée...
— Réglée ? Un maître chanteur ne travaille jamais au forfait, président. *(Y a-t-il un Français dans la salle ?)*

*

— Peut-être qu'il fume de l'« opion ».
— De l'« opion » ?
— Eh oui, comme les Chinois avec un bambou. Ça vous fait devenir fada ! *(Marius)*

*

— Non mais t'as déjà vu ça, en pleine paix, y chante et pis craque un bourre-pif. Mais il est complètement fou ce mec... Mais moi, les dingues, j'les soigne, j'm'en vais lui faire une ordonnance, et une sévère. J'vais lui montrer qui c'est Raoul. Aux quatre coins de Paris, qu'on va le retrouver, éparpillé par petits bouts, façon puzzle. Moi, quand on m'en fait trop, je correctionne plus, je dynamite... j'disperse... j'ventile ! *(Les Tontons flingueurs)*

*

— Madame, quand vous étiez allongée dans ce parc, que vous sentiez les mains de cet inconnu sur vos genoux, sur vos bas, pourquoi n'avez-vous pas crié ?
— Comment aurais-je pu savoir alors qu'il en voulait à mon argent ? *(The night they raided Minsky's)*

*

— La police a trouvé dans son appartement un tapis fait de cheveux humains !

— Et alors, Votre Honneur, le mauvais goût n'est pas un crime. *(Armed and dangerous)*

*

— Laissez-moi : seul un lâche s'attaquerait à un lâche ! *(Espionne de mon cœur)*

*

— Scotland Yard était perplexe. Ils ont fait appel à moi et l'affaire a été immédiatement résolue. J'ai avoué. *(La Pêche au trésor)*

*

— Je vais en descendre une centaine de ces putains de flics !

— Mais ils sont tout au plus cinquante...

— Tant pis, je leur tirerai dessus deux fois ! *(Coup double)*

*

— Le flinguer comme ça, de sang-froid, sans être tout à fait de l'assassinat, y aurait quand même comme un cousinage ! *(Ne nous fâchons pas !)*

*

— Je monte à l'étage voir ce qui se passe. Si deux hommes en redescendent en courant, laisse passer le premier, il y a toutes les chances pour que ce soit moi. *(Le Mystère du château maudit)*

*

— Approche, approche, l'obscurité n'a jamais fait de mal à personne !

— L'obscurité, non ; mais ce qu'il y a dedans... *(Le Retour de Topper)*

*

— L'âme des affaires, c'est l'abstrait. Je n'ai vendu que ça depuis trente ans. Un palmarès de légende ! Des références inattaquables ! Mis à part le traité de Versailles, toute l'encyclopédie de la fiction marloupine sort d'ici ! Les mines du Phoscao de l'Oubangui, le parking géant des Galapagos, le métro de la cordillère des Andes, les chasse-neige de Tamanrasset, le renflouage du *Titanic*. Toute la lyre, quoi ! *(Quand passent les faisans)*

*

— Et alors, finalement, vous nous avez piqué beaucoup de trucs ?

— La routine : bijoux, fourrures, argent liquide... rien de vraiment bouleversant.

— Les pauvres... Ils risquent leur liberté pour nous voler notre ennui... *(Tenue de soirée)*

*

— Vous n'avez pas peur ?

— A-t-on déjà remis mon courage en question ?

— Non. On ne l'a même jamais mentionné. *(Sing your worries away)*

*

— N'oublie pas ce qu'a dit le médecin : cinq gouttes. La posologie, ça s'appelle. Et de la posologie au veuvage, c'est une question de gouttes ! *(Archimède le clochard)*

*

— Si vous n'étiez pas plus petit que moi, je vous foutrais une volée...

— Mais je suis plus grand que vous...

— C'est une autre bonne raison. *(Chercheurs d'or)*

*

— C'est le plus grand serial killer de l'histoire de cette région. Il a tué toute sa famille et tous les parents de sa famille en un week-end. Puis il a tué tous les gens qui lui rappelaient les membres de sa famille. *(Faut s'faire la malle !)*

*

— Si seulement je pouvais voler suffisamment de choses pour enfin devenir un homme honnête ! *(Le renard s'évade à trois heures)*

*

— Levez les mains plus haut !

— Je ne peux pas. Elles sont fixées à mes poignets ! *(Espionne de mon cœur)*

*

— Vous venez de signer votre arrêt de mort.

— Je ne signe jamais rien en l'absence de mon avocat. *(Le Monstre de minuit)*

*

— Attention, Natacha, c'est pas une pute !

— Non, elle est hôtesse dans un bar à putes, nuance ! *(Les Ripoux)*

*

Un homme à qui on demande pourquoi il porte deux pistolets :

— L'un des deux ne tire pas assez loin. *(Les Tuniques écarlates)*

*

— Elle a essayé de s'asseoir sur mes genoux, mais j'étais debout... *(Le Grand Sommeil)*

*

— Elle s'est coupé le bout des seins avec des sécateurs. Tu trouves ça normal, toi ? *(Reflets dans un œil d'or)*

*

— Le quatuor, c'est une bonne formation pour orchestre, mais pour un braquage, c'est un peu trop. *(La Métamorphose des cloportes)*

*

— Vous ne savez pas que les personnes qui portent des armes sont censées avoir un complexe d'infériorité ?

— Réellement ? Quand je pense que j'ai toujours cru qu'un permis suffisait ! *(Boston Blackie's chinese venture)*

*

— Entre 1928 et 1935, M. Colonico vivait à Boston. À cette époque, il a commis douze meurtres, il a mis sur pied un réseau de racket et d'extorsion et il s'est fait une spécialité dans l'assaut armé. Puis il a quitté la police et il s'est installé à New York. *(Ya, ya, mon général)*

*

— Jusqu'ici, j'avais toujours juré que si une femme se faisait agresser devant moi, je ferais semblant d'être infirme. *(Ma femme s'appelle Reviens)*

*

— Mais qu'est-ce qui s'est passé ?

— Ben... Il a dû pisser sur la ligne à haute tension... Point final...

— Vous savez, madame, ça s'est passé tellement vite... Il a pas dû souffrir du tout... Du tout.

— C'est bien la première fois qu'il fait des étincelles avec sa bite ! *(Les Morfalous)*

*

— Si tu es portoricain et que tu as une très belle femme blanche dans ta voiture, c'est que tu vends de la drogue. Et si tu as une femme blanche très laide dans ta voiture, c'est que tu consommes de la drogue. *(Puerto Rican Mambo)*

*

— Ainsi vous voulez me provoquer en duel ?
— Choisissez les armes, monsieur.
— Les gants de boxe. À six mètres. *(Mexican spitfire baby)*

*

— Ton espiègle et toi, vous espérez quand même pas me refaire le coup de Barbizon.
— Oh, ce que tu peux être raclette !
— Oh, excuse-moi, mais c'est des repas dont on se souvient. Déjeuner en tête à tête et je me suis retrouvé à Cochin, aux urgences, trois lavages d'estomac et qu'est-ce qu'on a retrouvé dans mes viscères ? De l'acide prussique, un beurre !
— Tu fabules, tu romances !
— Je me suis jamais fait baiser deux fois de suite...
— Eh bien, tu sais pas ce que tu perds. *(Elle cause plus... elle flingue)*

*

— Il ne faut jamais haïr ses ennemis : cela affecte le jugement. *(Le Parrain 3)*

*

— Je suis le genre de type qu'on n'aime pas au premier abord. Mais vous verrez, dès que vous me connaîtrez un peu mieux, vous me détesterez. *(Fletch aux trousses)*

*

— La ville de San Francisco ne paye pas les criminels pour qu'ils ne commettent pas de crimes. Pour cela, elle paye la police. *(L'Inspecteur Harry)*

*

— Si t'en as envie, balance-moi ton poing dans la gueule, je le mérite, voilà mon menton, mais je te préviens, ça changera rien aux données du problème. *(La Femme de mon pote)*

*

— Si vous me tirez dessus, vous perdez toute chance d'être nominé aux Oscars de l'humanitaire ! *(Fletch aux trousses)*

*

— Garde tes amis près de toi et tes ennemis plus près encore. *(Le Parrain)*

*

— Nous ne sommes pas des voleurs.
— Alors, c'est quoi que vous faites ?
— De la mendicité à main armée. *(Bons Baisers à lundi)*

*

— La magouille, je peux plus. Je veux faire honnêtement un métier honnête.

— Tu veux quitter la police ? *(Ripoux contre ripoux)*

— Tu crois qu'on serait flics si on était beaux ?
— Si on était beaux, on serait cons.
— Et si on était cons, on serait plus heureux. *(Plus ça va, moins ça va)*

*

— On ne peut pas empêcher un client de s'éprendre d'une jolie femme, c'est inévitable. On ne peut pas davantage empêcher cet homme épris de s'enquérir des besoins matériels de cette jolie femme.
— C'est inévitable... Cher Monsieur Di Massa, si vous appelez ces genres de jolies femmes des hôtesses, qu'appelez-vous au juste une pute ? *(Le Corps de mon ennemi)*

*

— La justice, vous y croyez encore ?
— La justice, c'est comme la Sainte Vierge, si on ne la voit pas de temps en temps, le doute s'installe. *(Pile ou face)*

*

— Mon père a tué ma mère parce qu'il croyait qu'elle le trompait. Et il s'est tué deux jours après parce qu'il s'était trompé. *(Vénus Beauté Institut)*

*

— Je peux me relever ?
— Non. La dernière fois que je t'ai fait une fleur, je me suis retrouvé dans un sac en plastique. *(Elle cause plus... elle flingue)*

*

— Un homme seul contre dix commandos d'élite ? Mais pour qui prenez-vous cet homme ? Pour Dieu ?!
— Non, Dieu aurait pitié. Lui non. *(Rambo 2)*

*

— Attention, j'ai le glaive vengeur et le bras séculier ! L'aigle va fondre sur la vieille buse !
— Un peu chouette comme métaphore, non ?
— C'est pas une métaphore, c'est une périphrase.
— Fais pas chier !
— Ça, c'est une métaphore. *(Faut pas prendre les enfants du bon Dieu pour des canards sauvages)*

*

— Les banques sans guichet, tu vas les braquer comment ? Avec un fax ? *(Doberman)*

*

— Tu es un ersatz de méchant, tu es un semi-méchant, tu es la sucrette du mal, vois-tu. Tu est le *Diet Coke* du vice... *(Austin Powers 2)*

*

— Si tu essayes de me cacher quelque chose, je te tue. Si tu déformes les faits ou si je crois que tu déformes les faits, je te tue. Si tu oublies quelque chose, je te tue. En vérité, il va falloir te donner un mal de chien si tu tiens à la vie. Est-ce que tu as saisi ce que je t'ai dit ? Fais un petit effort ou sinon je te tue. *(Arnaques, crimes et botanique)*

*

— Bon, ce n'est pas l'Armée du Salut. Sortez !

— Mais c'est des querelles d'amoureux, ça ! Vous êtes marié ? Vous ne vous êtes jamais disputé, vous ?

— Oui, mais jamais à coups de fer à souder.

— Euh, ben, c'est parce que vous n'êtes pas bricoleur ! *(Le Père Noël est une ordure)*

Cindy : Il faut appeler la police !

Ray : N'y pense même pas, je ne veux pas me retrouver en prison !

Greg : Il a raison, Cindy ! Tu sais ce qu'on fait aux gamins en prison ? Tous ces obsédés du sexe qui n'attendent que de la chair fraîche...

Ray : Finalement, je crois qu'on devrait appeler la police ! *(Scary Movie)*

*

— Qu'est-ce que tu crois ? Lecter veut la baiser, la tuer, la manger ?

— Les trois, certainement, reste à savoir dans quel ordre. *(Hannibal)*

*

Le procureur : C'est pourtant ignoble de tuer.

L'avocat : Oui, mais ça fait vivre tant de monde à commencer par vous et moi. *(La Poison)*

*

— Je portais un taupé lilas, elle s'appelait Gertrude, elle avait dans les hanches ce balancement gracieux qu'ont les femmes qui ont beaucoup marché. On a failli se fixer là-bas, acheter du terrain. On pensait même à une maison... et puis, les intermittences du cœur... Finalement la maison, c'est elle qui l'a ouverte, à Caracas. *(Le Cri du cormoran le soir au-dessus des jonques)*

*

— Un assassin, souvent, n'est qu'un voleur qu'on dérange. *(La Poison)*

*

— Les psychiatres diront que vous êtes un illuminé, un paranoïaque, mais aucun ne dira ce que vous êtes vraiment parce que le mot sonne mal dans un prétoire. La vérité, c'est que vous êtes un con, Moreau. Oh, rassurez-vous, il y en a d'historiques... *(Mort d'un pourri)*

*

— Du moment que tu as un sosie, c'est un peu comme si tu avais un alibi, tu comprends ? *(Les trois font la paire)*

*

— Y a pas de souci, vieux. Dans la vie tout s'arrange. Y a jamais de raisons de se biler. À quoi bon, sincèrement, se fabriquer des cheveux blancs ? À notre âge ? Ils vont pas nous faire un trou au cul... on en a déjà un !

— On va quand même pas rouler comme ça, droit devant, sans savoir où, jusqu'à ce que le réservoir soit vide ?

— Et pourquoi pas ? On est pas bien ?

— Si...

— Paisible... à la fraîche... Décontracté du gland... Et on bandera quand on aura envie de bander ! *(Les Valseuses)*

LA MORT VOUS VA SI BIEN

— Les mots les plus doux à entendre ne sont pas du tout : « Je t'aime » mais : « C'est bénin. » *(Harry dans tous ses états)*

*

— Une fois que tu as passé quarante ans, tout devient urgent. *(Mauvaise Passe)*

*

— Je l'avais pourtant bien soignée.
— Elle sera morte des suites de sa guérison. *(Le Repas des fauves)*

*

— Tu manges avec ton manteau, maintenant ?
— J'ai froid.
— Ça fait pas très intime... On dirait que t'es en visite...
— On est tous en visite !... On débarque, on fait un peu de tourisme et puis on repart !... Tu crois sincère-

ment que ça vaut la peine d'enlever son manteau ? Pour quoi faire ?... Attraper la crève prématurément ? *(Buffet froid)*

*

— Je n'ai rien contre la science... tu sais moi, entre la climatisation et le pape, je choisis la clim... *(Harry dans tous ses états)*

*

— Faut pas avoir peur des morts, ils sont moins méchants que les vivants. *(Fortunat)*

*

— De mon temps on pouvait cracher où on voulait. On n'avait pas encore inventé les microbes. *(Goupi Mains rouges)*

*

— Ce qu'il y a de bien avec les hémorroïdes, c'est qu'on ne pense plus à ses rhumatismes. *(La Fille de d'Artagnan)*

*

— Ne vous inquiétez pas.
— Je ne m'inquiète pas, je me considère comme mort ! *(African Queen)*

*

— J'ai déjà connu beaucoup d'hommes mais je n'en ai jamais regardé un tant que le précédent n'était pas mort.

— Dès qu'il y en a un dans un état critique, faites-le-moi savoir. *(Charade)*

*

— Avez-vous un médecin de famille ?

— Non, je suis orphelin. *(Tendre Voyou)*

*

Scène de drague :

— Qu'est-ce que vous faites samedi soir ?

— Je me suicide.

— Et vendredi soir ? *(Tombe les filles et tais-toi)*

*

— Le peuple croit en toi, tu ne peux pas le décevoir !

— Il croit aussi en Dieu... et Dieu non plus ne lui donne guère de satisfactions. *(La Tulipe noire)*

*

— Le seul cas où nous, docteurs, devons accepter la mort inéluctable, c'est lorsqu'elle est le produit de notre incompétence. *(L'Homme aux deux cerveaux)*

*

— À quarante ans, il te pousse du bide et un autre menton, la musique commence à être trop forte et une de tes copines de fac devient grand-mère. À cinquante ans, tu as une opération bénigne, tu dis que c'est juste une formalité mais c'est une opération. À soixante ans, tu as une opération lourde, la musique est encore plus forte mais c'est pas grave parce que tu ne l'entends plus. À soixante-dix ans, ta femme et toi vous prenez votre retraite sur la Côte, vous dînez à dix-huit heures, vous déjeunez à dix heures et vous prenez le petit déj' la veille au soir. Et vous passez le plus clair de la journée au supermarché à chercher la dernière marque de yaourt bio en vous demandant : « Pourquoi les enfants n'appellent pas ? » *(La Vie, l'amour, les vaches)*

*

— Je ne suis pas le Messie ! Vous m'entendez ? Je ne suis pas le Messie, vous comprenez !

— Seul le Messie peut ainsi dénier sa divinité !

— Mais... que voulez-vous que je vous dise alors pour vous convaincre ? D'accord, dans ces conditions, je suis le Messie !

— Il est le Messie, il est le Messie !

— Mais non ! Oh, allez vous faire mettre !

— Bien. Et par qui, Mon Seigneur ? *(La Vie de Brian)*

*

— J'aime mieux avoir un cadavre sur la conscience que d'être moi-même un cadavre sur la conscience de quelqu'un d'autre. *(Le Repas des fauves)*

*

— De quelle religion êtes-vous ?
— Euh... disons juif ; juif non pratiquant.
— Moi, je suis vierge non pratiquante. *(Génération 90)*

*

— La seule chose pour laquelle les Romains n'ont pas de Dieu, c'est l'éjaculation précoce. *(La Folle Histoire du monde)*

*

— S'il y a un Dieu, ses pauses-déjeuner sont interminables. *(Peter's friends)*

*

— Les vieux, faudrait les tuer dès la naissance. *(Marius et Jeannette)*

*

— Elle ne pleure pas parce que j'ai dit devant tout le monde qu'elle avait 41 ans ; elle pleure parce qu'elle a réellement 41 ans. *(On approval)*

*

— Quand tu atteins cinquante ans, les dessous propres, la télévision couleur et la compote de prunes rentrent dans le Top Ten ! *(Norman... Is that you ?)*

*

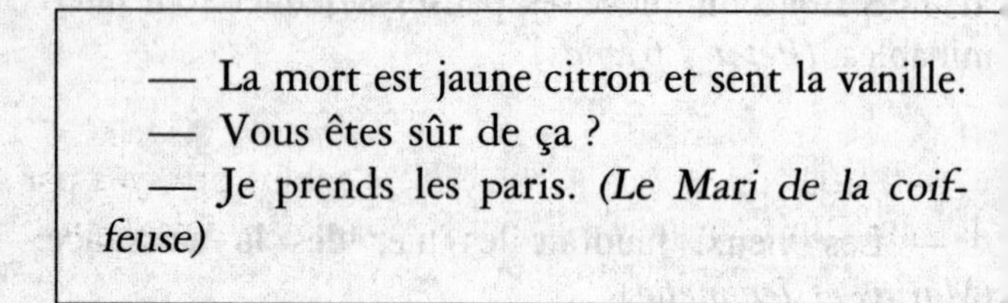

— La mort est jaune citron et sent la vanille.
— Vous êtes sûr de ça ?
— Je prends les paris. *(Le Mari de la coiffeuse)*

— Je suis trop jeune pour être vieux et trop vieux pour être jeune ! *(Beignets de tomates vertes)*

*

— Tu ferais mieux de rejoindre ton grand-père !
— Mais il est mort !
— Je sais. *(Le Metteur en scène)*

*

La veuve : C'est votre problème... Vous avez tué mon mari, maintenant faut m'assumer. Je veux bien porter le deuil mais pas faire maigre. *(Buffet froid)*

*

— Vous savez, les gens seraient moins effrayés par la mort s'ils pouvaient emporter un petit verre de cognac avec eux. *(Désiré)*

*

— Votre père est mort.
— Ce n'est pas vrai...
— Si... enfin, je l'espère en tout cas... parce qu'on l'a incinéré. *(Laurel et Hardy au Far West)*

*

— Sqwack Mulligan m'a dit que vous aviez enterré votre femme l'an dernier.
— Oui. J'ai été obligé. Elle était morte. *(Mon petit poussin chéri)*

*

— Si je suis tué, amène-moi les vingt-cinq plus belles filles que tu pourras trouver.

— Pourquoi ?

— Si je ne me relève pas, tu sauras que je suis vraiment mort. *(Rio Ritta)*

*

— S'il m'arrive quelque chose, tu diras à chacune des femmes que j'ai connues que mes derniers mots ont été pour elle. C'est la seule façon d'être reconsidéré. *(Broadcast News)*

*

— Avant le vin me montait à la tête et me rendait gai. Maintenant il me descend aux jambes et me rend vieux ! *(Le Roman de Marguerite Gautier)*

*

— La vieillesse, la seule maladie dont on ne cherche pas à être guéri. *(Citizen Kane)*

*

— Pas la guillotine !

— Soyez brave, mon ami. Vous vouliez mourir de toute façon.

— Oui, mais comme un homme, pas comme un salami ! *(Monsieur Beaucaire)*

*

— Je me suis endormi sans m'en rendre compte. Quand je me suis réveillé toute ma famille était autour de moi en train de dire les choses les plus gentilles à mon sujet. C'est là que j'ai compris que j'étais mort. *(Le ciel peut attendre)*

— Il le regrettera jusqu'au jour de sa mort – si tant est qu'il vive jusque-là ! *(L'Homme tranquille)*

*

— En vieillissant, on s'aperçoit que les seules choses que l'on regrette sont celles que l'on n'a pas faites. *(Le Roman de Mildred Pierce)*

*

— Il était tellement tordu que quand il est mort, on a dû le visser dans la terre ! *(Le Chat et le Canari)*

*

— Un zombie n'a aucune volonté. On les voit marcher aveuglément, les yeux morts, suivant les ordres, sans même savoir ce qu'ils font, en s'en foutant complètement...

— Tu veux dire comme les démocrates ? *(Le Mystère du château maudit)*

*

— Ton père et moi, tu nous feras mourir de chagrin.

— Tant mieux, comme ça on retrouvera pas l'arme du crime. *(Mélodie en sous-sol)*

*

— Pour vous, je suis un athée. Aux yeux de Dieu, j'appartiens à l'opposition fidèle. *(Stardust Memories)*

*

— Mon Dieu !!!
— Le mien aussi... ! *(Le Retour de la panthère rose)*

*

— Je suis allé dans un magasin et j'ai acheté un fusil. J'étais prêt à... tu vois, s'ils m'avaient dit que j'avais une tumeur, je me serais suicidé. La seule chose qui aurait pu m'en empêcher c'est que ça aurait fait de la peine à mes parents. Il m'aurait fallu les abattre d'abord. Et, en plus, j'ai un oncle et une tante... bref, ça aurait fini en bain de sang. *(Hannah et ses sœurs)*

*

— Crois-tu en la réincarnation, tu sais, ces morts qui reviennent à la vie ?
— Tu veux dire comme les républicains ? *(Le Mystère de la maison Norman)*

*

— Quand j'ai su que tu étais vivant, j'ai bu une bouteille de champagne et j'ai joué la marche funèbre de Chopin sur un air de swing ! *(La Chanson du souvenir)*

*

— J'ai un couteau dans le ventre !
— Vous souffrez ?
— Bizarrement, non... Mais je ne me sens pas dans mon assiette.
— Quel effet ça fait ?
— Un peu comme un lavabo qui se vide. *(Buffet froid)*

*

— Comment êtes-vous mort ?
— J'étais dans le coma.
— Ah... et combien de temps êtes-vous resté dans le coma ?
— Je n'en ai aucune idée.
— On va faire un jeu : Elvis, mort ou vivant ?
— Vivant.
— Un long coma alors ! *(Defending your life)*

*

— Qu'est-ce que ça peut me faire que certains de mes poèmes soient encore lus après ma mort ? Est-ce supposé être une compensation ? *(Intérieurs)*

*

— Vous vous rappelez, ces affiches qui disaient : « Aujourd'hui, c'est le premier jour du reste de votre vie » ? Eh bien, c'est vrai tous les jours, sauf un : le jour de votre mort. *(American Beauty)*

*

— J'ai vu toute ma vie défiler devant mes yeux... c'était ennuyeux. *(Chicken run)*

*

— La solution, je crois, c'est de ne pas penser à la mort comme à une fin, mais comme à un moyen radical et très efficace de réduire ses dépenses. *(Guerre et Amour)*

*

— Moi j'aime bien ça, les vieux. Surtout quand ils sont vivants. *(Merci la vie)*

— Évidemment qu'il faut rire de la mort ! Ce n'est qu'un petit tour de rien du tout. Tout est fait avec des miroirs ! *(Private lives)*

*

— Le jour où tu ne seras plus là, ce que j'irai déposer sur ta tombe ne pourra en aucun cas passer pour une fleur ! *(Le Dernier des géants)*

*

— Nous mourrons libres ou nous mourrons en tentant de devenir libres !

— C'est le seul choix ? *(Chicken run)*

*

— Je suis contre la mort. Ça fleure la tentation de croire. *(Providence)*

*

— Si on assemblait tous les tibias de saint François que l'on vous montre dans les églises, ce ne serait plus un saint mais un mille-pattes !

— Monsieur, mieux vaut mille pattes pour aller au ciel que deux pour aller en enfer ! *(L'Auberge rouge)*

*

— La médecine n'est pas seulement une providence mais aussi un espoir.

— De l'espoir vous en donnez... surtout aux héritiers. *(Le Repas des fauves)*

*

— Tu sais que je vais sur mes cinquante-cinq ans.

— Pourquoi avez-vous fait teindre vos cheveux ?

— Pour en paraître cinquante-cinq. *(Y a-t-il un Français dans la salle ?)*

*

— Je suis mort.

— Comment c'est ?

— Comment c'est... tu connais le poulet qu'on sert au restaurant Tresky ?

— Oui.

— C'est pire. *(Guerre et Amour)*

*

— Saint Anthelme s'est laissé arracher la langue avec des tenailles rougies au feu plutôt que de révéler une chose qui lui avait été confiée. Et pourtant, c'est une chose sans importance.

— Comment le sais-tu ?

— Je sais pas. *(L'Auberge rouge)*

*

— J'ai compris que je m'étais trompé de vie, que j'avais choisi une vie sans risque, sans aucune folie, avec au bout de tout cela le cancer ou bien encore la retraite ou bien encore les deux. *(Mauvaise Passe)*

*

— C'est les jeunes qui se suicident, pas les vieux, ils ont tellement pris l'habitude de vivre ! *(Y a-t-il un Français dans la salle ?)*

*

— Oh, monsieur le curé, ce sont mes nièces !
— Vous oubliez que je suis votre confesseur !
— Si vous ne l'oubliez pas, vous aussi, toute conversation mondaine est impossible. *(La Femme du boulanger)*

*

— Pas de pulsation. Le cœur ne bat plus. Si cela n'évolue pas, cet homme est mort. *(Un cadavre au dessert)*

*

— À soixante ans, ma grand-mère a commencé à marcher tous les jours trois kilomètres. Aujourd'hui, elle a quatre-vingt-dix-sept ans et Dieu sait où elle est rendue ! *(Wisecracks)*

*

— Le docteur dit que si on m'opère encore une fois, il aura plus vite fait de me greffer une fermeture Éclair. *(Whoopee !)*

*

— Si seulement elle était là aujourd'hui ! Je lui dirais : « Hé maman, qu'est-ce que tu fais là ? Tu es morte depuis neuf ans ! » *(La Valse des pantins)*

*

— Je ne cherche pas une aventure. Je cherche quelque chose de plus permanent, quelque chose de plus fort. Les années passent et les aventures se transforment en quelque chose d'autre, vous savez en quoi ?

— En sénilité ? *(On s'fait la valise, docteur ?)*

*

— Tout finit mal. Sans quoi rien ne finirait. *(Cocktail)*

*

— Les morts reviennent nous hanter.

— Arrête, quand un mort est mort, il est mort.

— Pas Tante Lucy.

— Elle était républicaine ? *(En route pour le Maroc)*

*

— Miss Montaigne souffre d'une forme aiguë de schizophrénie accompagnée de sévères hallucinations et de terribles accès de paranoïa.

— Et mentalement, comment va-t-elle ? *(La Brune de mes rêves)*

*

— Tiffany, je peux dormir chez toi ce soir, j'ai perdu ma mère.

— Elle est morte ?

— Non, non. Elle était là, puis pfuitt ! *(La Cité de la peur)*

*

— Docteur, j'ai une petite fille de neuf ans qui n'en fait qu'à sa tête. Elle ne fait que mal se comporter, elle ne veut jamais faire ce que je lui dis. Qu'est-ce que je peux faire ?

— Attendez dix ans et si elle n'a toujours pas changé, envoyez-moi alors son numéro de téléphone. *(La Blonde de mes rêves)*

*

— Cela va à l'encontre des lois romaines de prendre la vie de quelqu'un. La punition est la mort ! *(Le Forum en folie)*

*

— Je suis un dieu. Je ne suis pas *le* Dieu – enfin je ne pense pas. *(Un jour sans fin)*

*

— Quand on est enceinte, on ne fume pas. C'est pas un médecin qu'il va te falloir pour accoucher, c'est les pompiers. *(Je vous aime)*

*

— Toutes les morts sont naturelles.

— Et sa femme ? Vous n'allez pas me dire que c'est une mort naturelle ?

— Naturellement. Crâne défoncé à coups de marteau. On en crève. Naturellement. *(La Cité de l'indicible peur)*

*

— Tu crois plus en rien ?

— Ma bible, c'est *Paris Turf* et j'ai jamais réussi à toucher la sainte Trinité dans l'ordre ! *(Ripoux contre ripoux)*

*

— Je me suis éraflé la main.

— C'est bien fait, t'avais qu'à prendre des gants ! Oh, mais c'est rien...

— Je suis pas sûr. Je connais un mec, il s'est éraflé, ça s'est infecté, il est devenu sourd-muet ! *(Viens chez moi, j'habite chez une copine !)*

*

— C'est toute ma vie qui est loupée.

— Racontez-moi.

— Je vais pas vous emmerder avec ça. Elle a aucun intérêt ma vie.

— Allez-y. Y a rien à la télé ce soir. *(Le Placard)*

*

— Vous me trouvez trop vieux pour vous ?
— Non. Je collectionne les antiquités. *(Un automne à New York)*

*

— Ma sœur Gloria vit dans le Minnesota avec son mari. Elle attend un bébé. Je ne sais pas encore si je serai oncle ou tante. *(Trixie)*

*

— À ma dernière visite de dépistage, le gynéco a dû utiliser des gants en cuir et un couteau à huîtres. *(Mary à tout prix)*

*

— Pardonnez-moi, quel âge avez-vous, docteur ? !
— Cent cinq ans, exactement. Jus de carotte, j'en bois des tonnes. Je me dis quelquefois que cela ne vaut pas le coup. Je pisse orange. Je suis obligé de pisser assis sur le trône, comme une fille, c'est dégradant. Et toutes les quinze minutes. Mais personne ne veut mourir, vous comprenez. *(Dans la peau de John Malkovich)*

*

— Tu sais, il y a un nom pour les gens qui pensent que tout le monde conspire contre eux.
— Je sais... la perspicacité. *(Le Secret du scorpion de jade)*

*

— Vous pensez que Dieu est mort ?
— Je ne le savais même pas malade. *(Breezy)*

— Je travaille encore plus dur que Dieu lui-même. S'il m'avait embauché, le monde aurait été terminé le mardi matin. *(Au nom d'Anna)*

*

— Qu'est-ce que tu as ?
— J'ai mon âge, en ce moment – et c'est beaucoup pour un seul homme. *(La Vie d'un honnête homme)*

UNE NUIT À L'OPÉRA

— Les parents devraient toujours obliger leurs enfants à devenir des artistes. Y en aurait moins. *(Escalier C)*

*

— Quand un artiste n'est pas connu, pour le faire connaître on dit qu'il est célèbre. *(Le Blanc et le Noir)*

*

— Sur le plan de l'arnaque les coups les plus tordus ne sont rien, vous entendez, rien, à côté de la peinture abstraite... *(La Métamorphose des cloportes)*

*

— Un marchand de tableaux est un voleur inscrit au registre du commerce. *(Le Guignolo)*

*

— Le spectacle, c'est un monde de loups. C'est pire encore qu'un monde de loups. C'est un monde où les loups ne vous rappellent pas au téléphone. *(Crimes et Délits)*

*

— Ma chère amie, Wagner est inécoutable ou sublime selon les goûts, mais exquis... sûrement pas. *(Le Président)*

*

— J'ai jamais pu terminer Proust !... Tu sais qui c'est, Proust ?

— Oui, Monsieur...

— J'ai jamais dépassé *Un amour de Swann* !... : Parce que figure-toi qu'à chaque fois que j'essayais d'ouvrir le tome quatre, on aurait dit que ça déclenchait un disque !... « Paul... Mon Paul... On éteint ? »... Tous les soirs ! Pendant vingt ans ! On appelle ça le devoir conjugal ! *(Calmos)*

*

— Est-ce qu'il y a des tambours dans votre roman ?

— Non.

— Et des trompettes ?

— Non plus.

— Alors vous n'avez qu'à l'appeler : « Sans tambour ni trompettes » ! *(Domicile conjugal)*

*

— Mon ami, il y a deux sortes d'auteurs : les bons et les mauvais ! Les mauvais font de mauvaises pièces, et les bons ne foutent rien ! *(Le Comédien)*

*

— Uncle Fred disait que le *Boléro* de Ravel était la musique la plus ouvertement sexuelle jamais écrite – et il le prouvait. *(Elle)*

*

Le duc : Qu'as-tu déniché là ?

Le nain : Les œuvres complètes d'Érasme, Monseigneur.

Le duc : Tu prétends nous endormir avec la prose de cet hérétique ?

Le nain : Non, c'est pour m'asseoir dessus ! *(La Kermesse héroïque)*

*

— Tolstoï est un repas entier. Tourgueniev, à mon sens, est un merveilleux dessert. Voilà comment je les vois.

— Et Dostoïevski ?

— Dostoïevski est un repas entier avec en plus une pilule de vitamines et des germes de blé. *(Maris et Femmes)*

*

— Sally Miles, la petite fiancée de l'Amérique, dans un film porno ?

— Et pourquoi pas ?

— Felix chéri, la plupart de ses fans ne peuvent déjà pas imaginer un seul instant qu'il lui arrive d'aller aux chiottes ! *(SOB)*

*

— Les acteurs ne sont pas des animaux ! Ce sont des êtres humains !

— Des êtres humains ? As-tu déjà mangé en face de l'un d'eux ? *(Les Producteurs)*

*

— Un disque de Mantovani ? Ils envoient Mantovani aux insomniaques sur qui même les drogues dures n'ont plus aucun effet ! *(Good morning Vietnam)*

*

— Lina, elle ne sait ni jouer ni chanter ni danser. Un vrai tiercé. *(Chantons sous la pluie)*

*

L'auteur présente sa pièce de théâtre au public :

— Pour finir, vous trouverez sous votre siège une paire de lunettes de sécurité et des boules Quies. Vous pouvez les utiliser. *(Rushmore)*

*

— Vous êtes écrivain, moi je suis facteur, on est tous les deux des hommes de lettres. *(Les Gaspards)*

*

— Quand Raphaël a contemplé pour la première fois le plafond de la chapelle Sixtine, il s'est évanoui.

— Pourquoi, il n'avait pas mangé ? *(Comédie érotique d'une nuit d'été)*

— Vous aimez Shakespeare ?
— Oui. J'en ai lu beaucoup.
— Un conseil : n'essayez pas de le jouer. C'est épuisant : on ne peut jamais s'asseoir si on n'est pas le roi. *(Une Cadillac en or massif)*

*

— Vous êtes acteur ? Et où peut-on vous voir ?
— Chaque vendredi à onze heures. À l'agence pour l'emploi. *(Fleur de cactus)*

*

— Une nymphomane, c'est une actrice qui ne peut pas faire de film porno. Parce que ce ne serait pas du jeu. *(Rocket Gibraltar)*

*

— Tu vois ce jeu d'échecs ? À quatre ans, j'ai joué les yeux bandés contre dix personnes à la fois. J'ai perdu les dix parties. *(La Malle de Singapour)*

*

— Mais vous avez déjà dû entendre parler d'Hamlet...
— Vous savez, je rencontre tellement de gens... *(Pension d'artistes)*

*

— Cet endroit est rempli de célébrités. Je suis la seule personne ici dont je n'ai jamais entendu parler. *(Sweet charity)*

*

— Je suis pianiste de concert. C'est une façon un peu prétentieuse de dire que je suis actuellement sans emploi. *(Un Américain à Paris)*

*

— Vous avez déjà lu le Larousse ? C'est un recueil de noms célèbres complètement inconnus. *(Copie conforme)*

*

— Qu'est-ce que c'est que le cinéma ? Une grosse tête en train de faire le con dans une petite salle. Il faut être con pour aimer ça ! *(Charlotte et son Jules)*

*

— Quand j'entends le mot culture, je sors mon carnet de chèques. *(Le Mépris)*

*

— À chaque fois que je chante cette chanson, elle continue à me hanter longtemps.

— Normal, à chaque fois tu l'assassines. *(Lady Lou)*

*

— Les livres ? Non, il ne faut pas les brûler. Après, on ne pourrait même plus les critiquer. *(La Chinoise)*

*

— Qu'est-ce qu'il y a de plus simple qu'un arbre ? Eh bien, si je peins un arbre, ça met tout le monde mal à l'aise. C'est parce qu'il y a quelque chose... ou quelqu'un caché derrière cet arbre... je peins malgré moi les choses cachées derrière les choses ! Un nageur, pour moi, c'est déjà un noyé. Je crois peindre la joie, la musique... un bal... une noce en plein air... et sur ma toile, c'est la jalousie, la haine... le meurtre... le cimetière.

— Des natures mortes, quoi ! *(Quai des brumes)*

— Vous travaillez vite et vous ne faites pas trop de saletés par terre. Qu'est-ce qu'on peut demander de plus à un peintre ? *(La Kermesse héroïque)*

*

— Je peins comme Gauguin et vous voulez me faire peindre comme Van Gogh... vous vous rendez compte que vous me demandez de renoncer à ma nature artistique ? *(Les Faussaires)*

*

— Vous n'avez rien contre les artistes ?
— Vous n'avez rien contre les vieux cons ?
— Pourquoi, vous en êtes un ?
— Pas plus que vous n'êtes une artiste. *(Escalier C)*

*

— Avez-vous étudié la mise en scène à l'école ?
— Non, non je n'ai rien étudié à l'école. C'est eux qui m'ont étudié. *(Stardust Memories)*

*

— Une merveilleuse invention la radio. Dans quelques minutes, nous parlerons à tout le monde dans le pays.
— Hé, mais il y a quelques personnes à qui je ne parle plus... *(Le Faiseur de pluie)*

*

— Un article de journal doit être aussi long qu'une jupe de femme – suffisamment étendu pour couvrir le sujet, suffisamment court pour susciter l'intérêt. *(The courtship of Andy Hardy)*

*

— À quelques mètres de nous, il y a trois metteurs en scène. Je vendrais ma mère pour pouvoir leur parler.

— Tu as déjà vendu ta mère l'année dernière.

— Oui mais on me l'a retournée. *(La Chanteuse et le Milliardaire)*

*

— Je lis tout Proust. *À la recherche du temps perdu.* Bah, tu vois Pierrot, ce qui manque là-dedans, c'est un flic. *(Plus ça va, moins ça va)*

UN HOMME ET UNE FEMME

— Tu crois que je te plairais si j'étais pauvre ?
— Tu me plais comme tu es, avec ton argent. *(L'Amant)*

*

— Je te manque ?
— Comme on manque un train... *(Cléo de cinq à sept)*

*

— Je crois que les femmes sont faites pour être mariées et les hommes sont faits pour être célibataires. C'est de là que vient tout le mal... *(Mon père avait raison)*

*

— Il m'a demandé si je trouvais que l'amour physique était sale, je lui ai répondu : « Ça l'est, si on le pratique correctement. » *(Prends l'oseille et tire-toi)*

*

— Une couche-partout, une garce pour qui tous le hommes sont bons (...) en fin de compte ces femme trouvent toujours preneur. Tout le monde visite et u imbécile finit par acheter. *(Maigret tend un piège)*

*

— Une femme qui s'en va avec son amant n'aban donne pas son mari, elle le débarrasse d'une femm infidèle. *(Le Nouveau Testament)*

*

— Le sexe allège les tensions tandis que l'amour le provoque. *(Comédie érotique d'une nuit d'été)*

*

— L'amitié entre un homme et une femme, ça n' pas cours. C'est de la fausse monnaie. *(Paris au moi d'août)*

*

— Les femmes, en général, sont-elles mieux nues o habillées ?
— Ni nues, ni habillées.
— Alors déshabillées ? *(Quadrille)*

*

— J'ai trouvé un boulot au strip-tease. J'aide les fil les à s'habiller et à se déshabiller.
— Sympa comme boulot.

— Cinq dollars par semaine.
— C'est peu.
— Je ne pouvais pas donner plus. *(Quoi de neuf Pussycat ?)*

*

— Est-ce que les femmes trouvent cela féminin d'être illogique ou est-ce qu'elles ne peuvent pas faire autrement ? *(Charade)*

*

— Vous trouvez que je vous ressemble ?
— Non, à ta mère. Une perfection ta mère, une sainte.
— Pourquoi l'avez-vous quittée ?
— Je viens de te le dire. *(La Bande à papa)*

*

— Quand je pense à tous les mecs que je me suis tapés uniquement pour pas casser l'ambiance ! *(Tenue de soirée)*

*

— Je suis venu te voir ce soir parce que quand on réalise qu'on veut passer le reste de sa vie avec quelqu'un, on veut que le reste de sa vie commence le plus tôt possible ! *(Quand Harry rencontre Sally)*

*

— Je ne peux pas passer ma vie en porte-jarretelles sous prétexte que je ne sais pas faire les pieds de mouton ! *(La Chasse à l'homme)*

— Je t'aime. Mais ne m'en tiens pas rigueur. J'aime aussi les mouches et les incendies. *(The Saint strikes back)*

*

— Thérèse n'est pas moche, elle n'a pas un physique facile, c'est différent. *(Le Père Noël est une ordure)*

*

— Est-ce que j'ai le droit de mettre ma main là ?
— Oui, vous en avez le droit. Nous veillerons à ce que cela ne devienne pas un devoir. *(L'homme qui aimait les femmes)*

*

— Il est beau mais quand on lui parle, il ne comprend pas tous les verbes. *(Ma femme s'appelle Reviens)*

*

— Le mensonge est encore aux yeux de tous les chercheurs le seul moyen que l'on ait trouvé pour aller d'une femme à une autre sans que la première prenne des sanctions. *(Nous irons tous au paradis)*

*

— On peut pas faire l'amour du matin au soir. C'est pour ça qu'on a inventé le travail. *(L'homme qui aimait les femmes)*

*

— Tu l'aimes. Mais tu l'aimes combien ? On est en Occident, la réponse est forcément capitaliste. *(L'important c'est d'aimer)*

*

— J'ai besoin de changer d'atmosphère, et mon atmosphère, c'est toi.

— C'est la première fois qu'on me traite d'atmosphère ! Si je suis une atmosphère, t'es un drôle de bled ! Oh là, là... les types qui sont du milieu sans en être et qui cognent à cause de ce qu'ils ont été, on devrait les vider ! Atmosphère, atmosphère... est-ce que j'ai une gueule d'atmosphère ? *(Hôtel du Nord)*

*

— Ma femme, tu peux lui enlever sa culotte mais pas ses principes ! *(L'important c'est d'aimer)*

*

— Marie-Ange ? Les mômes, la maison, son transistor, 31 piges... J'aime pas les formules, mais c'est une femme heureuse ! *(Un éléphant ça trompe énormément)*

*

— Tu es belle, Hélène, si belle que te regarder est une souffrance.

— Hier vous disiez que c'était une joie.

— C'est une joie et une souffrance. *(Le Dernier Métro)*

*

— Moi je prétends que le mariage c'est ce qui différencie l'homme de la bête.

— Vous devez confondre avec le rire. C'est pourtant pas la même chose. *(La Chasse à l'homme)*

*

— Il n'y a pas d'amour, Hélène, il n'y a que des preuves d'amour. *(Les Dames du bois de Boulogne)*

*

— C'est peut-être malheureux à dire mais quand on sait qu'une femme tient à nous, on la quitte plus facilement. *(Le Diable au corps)*

*

— Je ne suis pas infâme, je suis une femme. *(Une femme est une femme)*

*

— Y a quel pourcentage de filles pour un mec ici ?

— Ça dépend du mec. *(Les Bronzés)*

*

— Elle a des formes auxquelles toutes les femmes aspirent. C'est un modèle. C'est peut-être pour ça que je l'admire mais qu'elle ne m'attire pas tellement. En tout cas moins qu'une femme qui aurait des imperfections. Tu comprends, la perfection est oppressante ! *(Pauline à la plage)*

*

— Chère madame, à votre connaissance, votre mari a-t-il une liaison ?

— Lui ?... Paul ?... Enfin voyons... Gy-né-co-lo-gue, ça vous dit quelque chose ?... Des culs, Monsieur le commissaire ! Du matin au soir ! Des culs, toujours des culs ! Trente à quarante touchers par jour c'est sa moyenne !... Et elles aiment ça les garces !... Y en a même qui reviennent tous les jours tellement elles sont folles de son médius !... Alors j'aime autant vous dire qu'une fois la journée terminée il pense plus qu'à une chose : faire ses mots croisés devant un restant de blanquette... à la cuisine... et vite aller dormir... parce que le lendemain matin, à sept heures sur le pont, des culs, encore des culs !

— Donc un homme heureux... *(Calmos)*

— Eh bien, mon vieux, si tu fais cette tête-là les matins de noce, qu'est-ce que ça doit être les soirs d'enterrement ! *(Toni)*

*

— Je vous serais reconnaissante de ne pas prolonger à ce point vos évanouissements. Jusqu'ici vous n'avez jamais dépassé les trois minutes qu'on accorde à toute femme de qualité. *(Madame de)*

*

— J'aime pas voir pleurer les femmes. Elles pleurent jamais à cause de moi. *(Jenny)*

*

— Je suis pédé !
— Depuis quand ?
— Ça m'a pris récemment.
— Et ça t'a pris comment ?
— Par-derrière.
— Ah ben, oui, forcément... Forcément...
— J'aime pas le mot « forcément ».
— Oui moi non plus, d'ailleurs...
— Je préfère « tendrement ».
— J'allais pas te dire « Ah ben, oui, tendrement » ?
— Si. Tu aurais pu le dire. *(Les Acteurs)*

*

— Combien me donnez-vous ?
— Pour faire l'amour ?
— Non, comme âge.

— Vous avez l'air d'avoir quarante ans... depuis une dizaine d'années. *(Donne-moi tes yeux)*

*

— Les hommes sont tous les mêmes. Du jour au lendemain, ils oublient tout ce qu'ils ont fait pour nous. *(Le Diable et les Dix Commandements)*

*

— C'est bien les mecs, ça, ils s'imaginent tous que s'ils n'étaient pas mariés, ils n'arrêteraient pas de baiser ! *(Tango)*

*

— Les hommes qui s'imaginent que les femmes s'habillent pour eux sont des naïfs ! Vous ne vous habillez pas pour les hommes... vous vous habillez contre les femmes ! *(Désiré)*

*

— J'aimerais que tu me cognes un peu puis que tu me fasses une pipe.
— OK. Je te fais une pipe et je te cogne.
— Non, tu cognes d'abord et ensuite tu fais la pipe. Il faut le faire dans cet ordre, sinon ça ne marche pas. *(Harry dans tous ses états)*

*

— « Cocu » est un mot pour les riches. Moi si ça m'arrivait, je ne serais pas cocu, je serais malheureux. *(La Femme du boulanger)*

*

— On est amoureux quand on commence à agir contre son intérêt. *(L'Amour en fuite)*

*

— En général quand une femme change de coiffure c'est qu'elle est en train de changer d'homme. *(La Bonne Année)*

*

— Regarde-moi la raie de son cul. C'est quand même plus beau que la face de la Vierge ! *(Les Galettes de Pont-Aven)*

*

— Mange ta soupe ! Et surtout ne pleure pas dedans, elle est déjà trop salée. *(Marius)*

*

— J'ai lu votre annonce dans *Le Chasseur français*.
— Vous êtes la poupée gonflable que j'ai commandée à la boîte postale 317. Discrétion assurée ? *(Le Mouton enragé)*

*

— Les jambes des femmes sont des compas qui arpentent le globe terrestre en tous sens et lui donnent son équilibre et son harmonie. *(L'homme qui aimait les femmes)*

*

— Ma femme ? La conne. Elle ne sait même pas ce que c'est qu'une bite. Toi tu sens la pisse, pas l'eau bénite ! *(Les Galettes de Pont-Aven)*

*

— Tu vois cette gonzesse... Il n'y a que le train qui ne lui soit pas passé dessus... Et manque de bol, j'étais dedans ! *(Pinot, simple flic)*

*

— Je vous présente madame Dolla Volle.
— Il y a du sicilien en vous ?
— Pas depuis hier soir. *(Le Prince de Sicile)*

*

— Il faut que t'en tâtes et puis de la grosse ! de la bien congestionnée !

— Je suis désolé de te décevoir mais j'en ai pas envie.

— T'as qu'à faire comme moi ! T'as qu'à te forcer !... Une fois que c'est dedans le plus dur est fait...

— Ne sois pas vulgaire, Monique, s'il te plaît. D'abord une femme, c'est pas pareil.

— Comment ça, « c'est pas pareil » ? Ben merde, alors... Mais on est pénétrées, mon petit gars ! Comme vous ! On est labourées, on est ramonées, ça va cogner au fond, on en prend plein le cul pour pas un rond !... Et en plus faut gémir ! faut se révulsionner dans les oreillers ! Et je te parle pas des amuse-gueules ! *(Tenue de soirée)*

*

— Nous avons décidé de divorcer. On s'est mariés trop vite. Il y avait erreur sur les personnes. *(Le Repas des fauves)*

*

— La beauté c'est un atout... jusqu'à ce que les lumières soient éteintes. *(Torch song trilogy)*

*

— J'ai des envies de voyage. L'Océanie, Bora Bora, les vahinés... tu connais ?
— Pourquoi, tu veux m'emmener ?
— On n'emmène pas des saucisses quand on va à Francfort. *(Le Pacha)*

*

— Quel cul tu as, toi... si en plus tu as un QI supérieur à 30, c'est qu'il n'y a pas de justice divine. *(Torch song trilogy)*

*

— Je crois qu'il est temps que vous l'emmeniez avec vous parce que là il commence à s'attendrir et quand les mecs commencent à s'attendrir, en général, il faut s'attendre à des emmerdements. *(Notre histoire)*

*

— Je viens de rencontrer un homme merveilleux. Évidemment, il est imaginaire... mais on ne peut pas tout avoir. *(La Rose pourpre du Caire)*

*

— Vous savez à quoi je pense ?

— Est-ce qu'il y a des moments où vous n'y pensez pas ?

— Oui, quand je le fais. *(Le Grand Escogriffe)*

*

— J'ai demandé à ma femme : « Où veux-tu aller pour ton anniversaire ? » Elle m'a répondu : « Je veux aller quelque part où je ne suis encore jamais allée. » Je lui ai dit : « La cuisine, par exemple ? » *(Les Affranchis)*

*

— Ne voyez-vous donc pas que je vous aime et que je veux que vous deveniez le père de mes enfants ?

— Ah, je ne savais pas que vous en aviez... *(La du Barry était une dame)*

*

— L'amour, c'est la paix, le calme et la tranquillité.
— Ce n'est pas l'amour ça, c'est le sommeil. *(Half hot at sunrise)*

*

— Tu m'aimes ?
— On ne devrait jamais poser cette question lors de a nuit de noces. C'est soit trop tard, soit trop tôt. *(Sérénade à trois)*

*

— Tu peux m'expliquer ce que tu fabriques dans ce ılumard ?
— Je me suis fait draguer.
— Ça t'arrive souvent ?
— Quand les mecs sont gentils.
— Tu dois en connaître un rayon sur la matelasserie française ! *(La Femme de mon pote)*

*

— Elle s'était assise devant chez moi, elle criait, elle grattait la pelouse, je ne pouvais plus travailler alors je l'ai épousée. *(Qui a peur de Virginia Woolf ?)*

*

— Je t'ai regardée. Et j'ai vu en toi ce que je voulais y voir. C'est ça l'amour. *(L'Honneur des Prizzi)*

*

— Comment ça, « Tais-toi ! » ? Tu ne peux pas me parler comme ça avant que nous soyons mariés ! *(Le Fils de Visage pâle)*

*

— Toutes les femmes sont pareilles : elles descendent dans votre gorge, arrachent votre cœur, sautent dessus à pieds joints avec leurs talons hauts, crachent dessus, le récupèrent, le mettent au four, le font cuire, le sortent, le découpent en fines tranches qu'elles mettent sur des toasts, enfin elles vous le servent en espérant que vous allez leur dire : « Merci, mon amour, c'est un délice. » *(Les cadavres ne portent pas de costards)*

*

— J'ai été mariée deux fois, et même deux fois et demie !
— Et demie ?
— Oui. J'ai eu deux maris et une faiblesse. *(Cigalon)*

*

— Comment appelle-t-on ça lorsqu'on hait la femme qu'on aime ?
— Une épouse. *(Comment tuer sa femme)*

*

— Elizabeth s'entoure de beautés en espérant que cela soit contagieux. *(L'Aigle des mers)*

*

— J'ai été sur plus de genoux qu'une serviette ! *(Je ne suis pas un ange)*

*

— Voulez-vous venir un instant ? Je ne mords pas vous savez. Sauf si on me le demande. *(Charade)*

*

— Ce sont des nuits comme celle-là qui amènent les hommes comme moi vers des femmes comme vous pour passer des moments comme ça. *(Espionne de mon cœur)*

*

— Serre-moi plus fort, encore plus fort...
— Si je te serres encore plus fort, je vais me retrouver dans ton dos ! *(Un jour aux courses)*

*

— Est-ce que tu as un pistolet dans la poche ou est-ce que tu es simplement content de me revoir ? *(Myra Breckinridge)*

*

— Je suis pas le genre de fille qui s'accroche.
— Et si c'était moi qui m'accrochais ?
— Vous donnez pas tant de mal, en général on me saute et on m'envoie pas de fleurs. *(Notre histoire)*

*

— Je suis vieux jeu. Je ne crois pas aux relations extraconjugales, je pense que les gens devraient s'accoupler pour la vie, comme les pigeons et les catholiques. *(Manhattan)*

*

— La dernière fois que j'ai pénétré dans une femme, c'était dans la statue de la Liberté. *(Crimes et Délits)*

*

— J'avais l'intention de vous dire, à tout hasard, que je vous aimais... Rien de plus facile quand on n'aime pas... qu'est-ce qu'on risque ? *(La Vie en rose)*

*

— La Débauche n'est pas un péché gratuit ; les exemples dangereux, ce sont les exemples à la portée de toutes les bourses, mais les péchés qui exigent des rentes ne peuvent se répandre que chez les rentiers, or nous n'avons ici que des paysans, et contre les dangers de mon exemple, la Pauvreté leur tient lieu de Vertu ! *(La Femme du boulanger)*

*

— Une femme ne peut pas nuire à un homme. Il porte en lui toute sa tragédie. Elle peut le gêner, l'agacer. Elle peut le tuer, c'est tout. *(Nouvelle Vague)*

*

— Et vous, votre femme vous a-t-elle trompé ?
— Forcément.
— Et alors ?
— Je lui flanqué une correction et depuis, avant de recommencer, elle y regarde à deux fois... il faut que ça en vaille la peine ! *(Au Bonheur des dames)*

*

— Oh, sur la bouche, il ne m'embrasse pas tant que ça sur la bouche...
— Peut-être, mais il y reste longtemps. *(La Fête à Henriette)*

*

— Papa, tu as gâché mon enfance !
— Comment aurais-je pu ? Je n'étais même pas là ! *(Créatures féroces)*

*

— Si j'étais une femme, je ne ferais rien d'autre que de passer mes journées assise chez moi à jouer avec mes seins. *(La Storia)*

*

— Si je savais quelque chose de l'amour, les gars, je serais dehors en train de le faire et pas ici en train d'en parler avec vous. *(Pump up the volume)*

*

— Tu as couché avec elle ?

— C'est une question idiote et la réponse est évidemment « no comment ».

— « No comment », ça veut dire oui.

— Non, ça ne veut pas dire oui.

— Tu t'es déjà masturbé ?

— Une fois pour toutes : « No comment » !

— Tu vois, ça veut dire « oui ». *(Coup de foudre à Notting Hill)*

*

Cynthia : L'organe mâle en lui-même me semble être une chose indépendante, une entité séparée. Je veux dire quand après l'acte je peux le regarder, le toucher, j'oublie qu'un homme y est attaché. Je me souviens avoir déjà sursauté quand le type s'est mis à parler. *(Sexe, mensonges et vidéo)*

*

— Comment trouves-tu ma robe de mariée ?

— Dangereuse. Tu sais qu'il n'y a rien de plus déroutant dans un mariage qu'un prêtre avec une énorme érection. *(Quatre Mariages et un enterrement)*

*

— J'avais un type qui me prenait par-derrière, deux types habillés en flic dans ma bouche et la seule chose à laquelle je pensais était : « J'aime être actrice, je veux apprendre le métier. » *(Maudite Aphrodite)*

*

— Va l'injurier ! Si c'est une pouffiasse, elle se mettra en colère, si elle sourit, c'est une femme du monde ! *(Vivre sa vie)*

*

— Tu veux danser ?
— J'y pensais depuis un moment.
— Alors ?
— Non. *(Pour le meilleur et pour le pire)*

*

— L'amour conjugal, c'est comme le chewing-gum, plus tu mâches, moins ça a de goût. *(L'Homme à l'imperméable)*

*

— Sire, quelle honneur pour ma modeste personne et ma modeste demeure que la visite de Votre Majesté...
— Princesse, ce sera un plaisir pour moi que de visiter l'un et l'autre ! *(Le Bon Roi Dagobert)*

*

— C'est comme mon ex-femme : vingt et une personnalités dont au moins sept qui me haïssent ! *(L'Enfer du dimanche)*

*

Dick Foran à Mae West qui lui fait du rentre-dedans :
— Vous oubliez que vous êtes mariée ?
— J'essaye ! *(Mon petit poussin chéri)*

*

— Il a fallu plus d'un homme pour changer mon nom en Shanghai Lily. *(Shanghai express)*

— Ta conception de la fidélité se réduit à avoir un seul homme à la fois dans ton lit. *(Darling)*

*

— Je suis le premier homme décent qu'elle rencontre.
— C'est toi qui le dis ou c'est elle ? *(Fleur de cactus)*

*

— Vous êtes marié ?
— Non, j'ai naturellement l'air contrarié. *(Half shot at sunrise)*

*

— Avez-vous déjà songé sérieusement au mariage ?
— Évidemment. C'est pour ça que je suis encore célibataire. *(Cracked nuts)*

*

— Les femmes sont comme les éléphants : j'aime les regarder mais pour rien au monde j'aimerais en avoir un à moi. *(Mississippi)*

*

— Nous formons, Lucie et moi, un de ces couples déplorables, et si nombreux, hélas !, qui, s'étant réunis sans raisons, ne trouveront jamais une raison de rompre. *(Le Nouveau Testament)*

*

— J'ai toujours pensé qu'un célibataire était un individu qui ne commettait jamais une fois la même erreur. *(Les Tuniques écarlates)*

*

— Ne pouvons-nous pas être amis ?
— Est-ce qu'un oiseau devient ami avec un serpent ?
— Mais je ne suis pas un oiseau... *(Captain Thunder)*

*

— Elles commencent toutes en Juliette et finissent en Lady Macbeth ! *(Une fille de la province)*

*

— Si vous étiez mon mari, je vous ferais prendre du poison !
— Si j'étais votre mari, je le prendrais ! *(La Taverne de l'enfer)*

*

— La nuit dernière, elle a tapé à ma porte pendant trois quarts d'heure... je ne l'ai pas laissée sortir ! *(Embrasse-moi idiot !)*

*

— Dans ma famille, on ne divorce pas de nos maris. On les enterre. *(Lord dove a duck)*

*

— Vous avez fait l'amour dans l'ascenseur !

— C'est le lieu le plus sûr du monde pourvu que le poids ajouté des deux personnes n'excède pas 700 kilos. *(Quoi de neuf Pussycat ?)*

— La raison pour laquelle je dors toute la journée, c'est que je ne supporte pas ma vie.
— Quelle vie ?
— Dormir toute la journée. *(Ce plaisir qu'on dit charnel)*

*

— T'es toujours amoureux ! C'est une maladie, chez toi ! Ça relève du psychiatre ! Tu peux pas tirer un coup sans sortir les violons !... *(La Femme de mon pote)*

*

— Une femme peut ovuler et penser en même temps ! *(First Monday in October)*

*

À propos de la poitrine d'une femme :
— On dirait qu'elle a été touchée dans le dos par deux missiles de croisière ! *(Flash-back)*

*

— Je ne me suis pas marié parce que je n'ai jamais trouvé quelqu'un que je haïssais suffisamment pour lui infliger une telle torture. *(All that jazz)*

*

— Dis-moi, Mortimer, que tu m'aimes aussi pour mon esprit...
— Une chose à la fois, veux-tu... *(Arsenic et Vieilles Dentelles)*

*

— Les femmes ont besoin d'une raison pour faire l'amour, les hommes d'un endroit. *(La Vie, l'amour, les vaches)*

*

— Elle avait tellement de bridges qu'à chaque fois que je l'embrassais je devais payer une taxe. *(Abbott et Costello contre Frankenstein)*

*

— C'est difficile à croire que vous n'avez pas fait l'amour depuis deux cents ans !
— Deux cent quatre ans si vous comptez mon mariage ! *(Woody et les Robots)*

*

— Quand il s'agit du sexe, les hommes ne peuvent pas s'empêcher de mentir et les femmes ne peuvent pas s'empêcher de dire la vérité. *(Garçonnière pour quatre)*

*

— Tu crois à l'amour dès le premier regard ?
— Je sais pas... mais c'est sûr qu'on gagnerait du temps. *(Night after night)*

*

— Je suppose que vous ne croyez pas au mariage ?
— Seulement en dernier ressort. *(Je ne suis pas un ange)*

*

— Le mariage ça dure. Comme le ciment. *(Quoi de neuf Pussycat ?)*

*

— Tu as 40 ans, il en a 23. Tu veux vraiment te marier ?

— Qu'est-ce que je peux faire d'autre ?

— L'adopter. *(40 carats)*

*

— J'ai peur que si nous nous marions, un jour une jeune femme fasse son apparition, et que tu m'oublies pour toujours.

— Ne sois pas idiote. Je t'écrirai deux fois par semaine. *(Les Marx Brothers au grand magasin)*

*

— Je me suis décidé à l'épouser la première fois que j'ai vu la lumière de la lune se refléter sur le canon du fusil de son père. *(Oklahoma !)*

*

— Tu es un homme. Pourquoi un homme voudrait-il se marier avec un autre homme ?

— La sécurité. *(Certains l'aiment chaud)*

*

— Pour notre lune de miel, nous sommes allés au Mexique. Je n'ai pas quitté le lit pendant deux semaines. J'avais la dysenterie. *(Prends l'oseille et tire-toi)*

*

— Quelle que soit la personne avec laquelle tu te maries, tu te réveilles toujours marié à quelqu'un d'autre. *(Blanches Colombes et Vilains Messieurs)*

*

— Quand on est amoureuse d'un homme marié, on ne devrait pas porter de mascara. *(La Garçonnière)*

*

— Pourquoi est-ce que vous vous êtes mariés ensemble ?

— Oh, je ne sais pas. On était à Pittsburgh et il pleuvait. *(The bride walks out)*

*

— Les femmes font les meilleures psychanalystes jusqu'au jour où elles se marient. Après ça, elles font les meilleures patientes. *(La Maison du docteur Edwards)*

*

— Il y a des choses pires que la chasteté, monsieur Shannon.

— Oui, la folie et la mort. *(La Nuit de l'iguane)*

*

— Il n'y a rien de plus sincère qu'une femme qui ment. *(Indiscret)*

*

— Les femmes, c'est comme les fleurs, il leur faut du soleil.

— Il leur faut de la fraîcheur, aussi !

— Oui ! Et puis de l'affection !

— C'est fou ce qu'il leur faut comme trucs aux femmes... *(1, 2, 3, soleil)*

*

— La seule fois où Rifkin et sa femme avaient connu l'orgasme simultané, c'est quand ils avaient divorcé. *(Maris et Femmes)*

*

— J'ai pas envie de le connaître ton passé ! On le connaît ton passé ! Collection de bites et puis c'est tout ! *(Tenue de soirée)*

*

— J'ai besoin qu'on s'occupe de moi. J'ai besoin de quelqu'un qui prenne soin de moi. Quelqu'un qui réchauffe mes muscles et mes draps.

— Marie-toi !

— Mais je n'ai besoin de ce quelqu'un que pour ce soir ! *(La Fièvre au corps)*

*

— À quoi est-ce que vous pensez ?

— Si vous continuez à me regarder de cette façon-là, je risque de vous le dire. *(La Maison des sept péchés)*

*

— Qu'est-ce que vous publiez ?
— Des documents, des livres de jardinage, de cuisine, des guides...
— Des manuels de sexe ?
— J'en ai sorti quelques-uns, oui.
— Qui font autorité ?
— Disons que je sais ce qui va où et comment. *(Transamerica express)*

*

Une mannequin : Mais j'ai promis à Isaac de faire ce défilé. La nouvelle collection, c'est cet après-midi et j'ai encore mes deux toasts à vomir ! *(In and out)*

*

— Qu'est-ce qu'un « crime sexuel » ?
— Ne pas s'éclater au lit ? *(Sex crimes)*

*

Ian Malcom : Je suis toujours à la recherche de la future ex-madame Malcom. *(Jurassic Park)*

*

— Comment vous imaginiez-vous les Canadiennes ?
— Un peu comme leurs paysages : belles à voir mais plutôt glacées. *(Les Tuniques écarlates)*

*

— Tu m'as dit que tu m'aimais.
— Mais je le pensais à ce moment-là.
— Ah bon, c'était viral alors. *(Bons Baisers de Hollywood)*

*

— Comment pouvez-vous écrire si bien sur les femmes ?
— Je pense aux hommes. Et je retire la raison et le sens des responsabilités. *(Pour le meilleur et pour le pire)*

*

— Le mariage n'est qu'un moyen de se sortir d'un silence embarrassant au milieu d'une conversation. *(Quatre Mariages et un enterrement)*

*

— Je suis pute par vocation. J'aime bien l'argent, j'aime bien les hommes et j'aime bien vendre du rêve.
— Quel rêve ?
— Celui que ta femme est pas foutue de te donner ! *(Mon homme)*

*

— Allez, on ne meurt pas d'amour, Norine. Quelquefois, on meurt de l'amour de l'autre – quand il achète un revolver. *(Fanny)*

*

— Tu penses vraiment que tu étais facile à vivre ? Comparé à quoi ? À la guerre de Cent Ans ? *(Nos plus belles années)*

*

— Je n'arrive pas à te comprendre. Tu es en soie d'un côté, en papier de verre de l'autre. *(Troublez-moi ce soir)*

*

— Nous nous battons pour l'honneur de cette femme. Et plus qu'elle ne l'a jamais fait elle-même ! *(La Soupe au canard)*

*

— Les statistiques montrent qu'il n'y a rien de plus nombreux que les femmes sur cette planète. Excepté les insectes. *(Gilda)*

*

— Ah, dès qu'on plaque une femme, elle commence à dire qu'on ne tourne pas rond. *(Pierrot le fou)*

*

— Vous en faites des salades en amour ! Mais enfin, un foie, c'est un foie ! Les intestins, c'est les intestins ! Et un sexe, c'est un sexe ! Il ne faut pas y foutre le bon Dieu !

— Mais je ne tiens pas à foutre le bon Dieu dans ma braguette, mademoiselle ! Ce serait inhabitable pour lui ! *(Solo)*

*

— Il y en a qui sont contre le mariage sous prétexte que ça ne réussit jamais. Moi je suis pour, et dans tous les cas, et sans réfléchir. Avec la première venue. Tu l'emmènes au cinéma et hop ! Tout de suite après à la mairie ! Ça fait deux malheureux de plus, c'est toujours ça.

— Mais pourtant vous, mon oncle...

— Oh moi, c'est pas pareil, tout me dégoûte. Alors je vis seul. Et de vivre seul, ça me dégoûte aussi. Voilà, c'est complet, moi je suis complet, je suis un chef-d'œuvre. *(Marie Martine)*

— Quel plus grand hommage peut-on rendre à un homme qu'on admire que de lui prendre sa femme ? *(La Maman et la Putain)*

*

— L'intuition... cette façon infaillible qu'ont les femmes d'arriver à la mauvaise conclusion... *(Song of thin man)*

*

— L'amour est un état de confusion dans lequel la victime ne peut distinguer entre une aspiration spirituelle, un désir charnel et un orgueil de propriétaire. L'homme sage satisfait des soifs différentes à des fontaines différentes. *(Moulin-Rouge)*

*

— « Devoir conjugal », Martinaud l'emploie souvent celui-là. Et d'après lui, vous ne l'auriez jamais accompli avec autant de... de bonne humeur qu'avant votre mariage. C'est vrai ?
— Vrai. Peut-être parce que ce n'était pas encore un devoir.
— Un investissement ?
— Pourquoi devenez-vous grossier ? *(Garde à vue)*

*

Mon grand-père disait : « Une bonne branlette vaut mieux qu'un mauvais mariage. » Et il joignait souvent le geste à la parole. *(Tango)*

*

— Oublie-la, Stanley. Cette fille va t'arracher le cœur, le foutre dans un mixer et enclencher la vitesse rapide. *(The Mask)*

*

— Quelles sont les chances qu'un mec comme moi et une fille comme toi finissent ensemble ?

— Elles sont faibles.

— Faibles comment ? Une sur cent ?

— Je dirais plutôt une sur un million.

— Attends, alors tu es en train de me dire que j'ai une chance... *(Dumb et Dumber)*

*

— Tu connais les femmes, Mate. Elles sont comme les singes. Elles ne lâchent jamais une branche avant d'en avoir attrapé une autre. *(Mission impossible 2)*

*

— Quant à mes femmes, elles vont plus loin, elles prétendent que je les pousse à l'infidélité. La première m'a dit qu'une tête comme la mienne est un encouragement, la deuxième, une autorisation, la troisième un défi, quant à la quatrième, elle m'a dit qu'elle me trompait pour ne pas être ridicule ! *(Adhémar ou le Jouet de la fatalité)*

*

— C'était comme des vacances, comme des journées sans horaires, des silences sans reproches, des vulgarités sans scrupules... c'étaient les promesses de jours heureux : une virée sans femmes ! *(Tango)*

*

— Toutes les femmes savent coudre, mais elles ne veulent pas l'avouer. *(Le Chemin des écoliers)*

*

— Elles sont là, souriantes, à guetter la faute comme un arbitre toujours prêt à sortir le carton jaune. Qu'est-ce que les femmes ont pu en faire chier des mecs comme nous ! *(Tango)*

*

— La personne qui vivait avec moi est partie depuis un an avec mes économies. C'est la seule bonne affaire que j'aie faite avec une femme. *(César)*

*

— Je suis moitié sainte, moitié putain.
— J'espère avoir droit à la moitié qui a de l'appétit. *(Guerre et Amour)*

*

— Avant de nous rencontrer, nous étions déjà infidèles l'un à l'autre. *(Nouvelle Vague)*

*

— Toi dans la vie tu ne comprends rien dès que tu n'es pas derrière un comptoir. *(Le Schpountz)*

*

— Qu'est-ce qu'une catastrophe ?
— C'est la première strophe d'une histoire d'amour. *(Passion)*

*

— Depuis trois ans avec un homme marié, tu te rends compte !
— Il ne peut pas quitter sa femme, elle est infirme !
— Ils disent tous ça ! *(Il y a longtemps que je t'aime)*

*

— J'ai pour règle de ne jamais faire l'amour avant le premier rendez-vous. *(Cordes et Discordes)*

*

— Pourquoi est-ce que vous ne rapportez pas un cadeau à votre femme ? Un petit animal par exemple, les femmes sont cinglées de ces petits animaux...
— Les femmes sont cinglées tout court et les petits animaux n'ont rien à voir là-dedans. *(Dollars et Whisky)*

*

— Les femmes, c'est comme les oranges, quand on en a épluché une, on les a toutes épluchées... *(La Grande Nuit de Casanova)*

*

— De la façon dont vont les choses, les hommes et les femmes ne seront jamais sur la même longueur d'onde. Et cela pour une simple et bonne raison : les hommes et les femmes cherchent quelque chose de radicalement différent : l'homme cherche une femme et la femme cherche un homme. *(Ma femme a des complexes)*

*

— C'est tout le problème des femmes : il suffit qu'on leur donne un gland pour qu'elles réclament un chêne. *(Un dimanche à New York)*

*

— Quand on a vingt ans de plus qu'une femme, c'est elle qui vous épouse. *(Quadrille)*

*

— J'ai eu un orgasme avec l'homme que j'aime...
— Ce n'est pas une chose à dire à sa mère...
— Tu en as déjà eu, toi ?
— De mon temps, ces choses-là ne se faisaient pas ! *(Le Lien sacré)*

*

— Le mariage est la route du bonheur...
— Oui, mais on s'amuse davantage dans les détours. *(At the races)*

*

— Si je ne parviens pas à être heureux avec la femme d'un autre, comment pourrais-je l'être avec la mienne ? *(L'Homme des Folies-Bergère)*

*

— L'homme ne sait pas ce que c'est que le bonheur avant de se marier. Et alors il est trop tard. *(Le Pantin brisé)*

*

— Un mari, voilà ce qu'il reste d'un amant après qu'on lui a bouffé tous les nerfs ! *(36 heures à vivre)*

*

— Depuis quelques jours, j'ai le clitoris qui gonfle... Au début, j'ai pris ça pour une boursouflure passagère... Mais maintenant, j'avoue que je suis inquiète... Ça fait comme un tarin !... À chaque fois que mon mari voit mon cul, il se met à rigoler... Il m'appelle Cyrano ! *(Calmos)*

*

— Inès le matin, Inès le midi, Inès le soir – t'es pas une femme, t'es un régime ! *(Pépé le Moko)*

*

— Je comprends pourquoi les hommes mariés vivent plus longtemps : ils sont déjà moitié morts. *(There's a girl in my soup)*

*

— T'es toujours aussi désagréable après avoir fait l'amour ?
— Ça dépend avec qui. Tu veux quand même pas que je roucoule.
— Tu m'as quand même dit que tu m'aimais, je te signale...
— Oui, ben, je dis ça à tout le monde, voilà. Je dis tout le temps ça aux filles. Qu'est-ce que tu veux, c'est plus fort que moi, faut que je parle quand je baise, alors je dis des conneries ! *(La Femme de mon pote)*

*

— Je l'ai aimé neuf ans. Je l'ai aimé dès le jour de notre mariage. Et puis peu à peu, le temps passe et c'est comme essayer de remettre le dentifrice dans le tube. *(How to beat the high cost of living)*

*

— Une femme de son âge va généralement en Floride, pourquoi veut-elle aller dans le Vermont ?
— Elle aime le froid.
— Elle peut. Elle l'a inventé. *(Memories of me)*

*

— Le mariage, mon cher, c'est le Bribri des amours ! Moi ça fait vingt ans que je déguste. Je me suis marié en 42, parce que ça donnait droit à un costume pur laine et une paire de chaussures en cuir. Voilà où ça mène l'élégance... *(Carambolages)*

*

— Voulez-vous accomplir l'acte sexuel avec moi ?
— L'acte sexuel ? Je ne sais pas si je tiendrai l'acte en entier, mais je veux bien essayer les premières scènes si ça vous dit. *(Woody et les Robots)*

*

— L'amour est une ivresse, le mariage en est la gueule de bois. *(Cracked nuts)*

*

— C'est le drame du mariage : la femme espère qu'elle changera l'homme, l'homme espère qu'il ne changera pas la femme et tous les deux sont déçus. *(Cynara)*

*

— Le mariage est comme une cité assiégée : ceux qui n'y sont pas veulent y entrer, ceux qui y sont veulent en sortir. *(La Vie privée de Don Juan)*

*

— Le mariage est comme un repas ennuyeux avec le dessert en entrée. *(Moulin-Rouge)*

*

— Le mariage, c'est quand une femme ne demande à un homme d'enlever son pyjama que pour le mettre au sale. *(Voyage à deux)*

*

— Pourquoi est-ce que je t'ai épousé ?
— Parce que j'ai dit oui. *(La Famille Addams)*

*

— De même qu'il y a des cocus-nés, il y a des femmes nées infidèles. Les laisser en présence est une erreur, une faute – je dirais presque : un crime. *(Adhémar ou le Jouet de la fatalité)*

*

— Je dois posséder tout cela, vos cheveux d'or, vos yeux fascinants, votre sourire charmant, vos bras adorables, vos formes divines...

— Attendez, c'est une proposition ou un inventaire ? *(Ce n'est pas un péché)*

*

— Attendez deux minutes que je remette ma culotte.

— Mais t'as pas besoin de culotte, y a pas de mouches en hiver... *(Tenue de soirée)*

*

Réponse à une demande en mariage :

— Tu veux une réponse franche ? Je préférerais être plongé nu dans un tonneau rempli de serpents.

— C'est ton dernier mot ?

— Pourquoi ? Cela te semble équivoque ? *(Life begins on eight thirty)*

*

— L'amour, c'est comme le champagne, le mariage, c'est la gueule de bois et le divorce, la plaquette d'aspirine. *(Look who's laughing)*

*

— On dit que policier est un métier à risque.

— C'en est un. C'est pour ça que je trimballe un gros calibre.

— Et vous n'avez pas peur que le coup parte accidentellement ?

— Cela m'est déjà arrivé.

— Et que faites-vous pour y remédier ?

— Je pense à un match de base-ball. *(Y a-t-il un flic pour sauver la reine ?)*

*

— C'est quand même incroyable, y a pas moyen de trouver un mec un peu sympa pour passer la nuit dans ce bled ! On n'est quand même pas des boudins ? On est bandantes, merde ! Alors qu'est-ce qu'ils attendent ?

— Viens à la maison, je vais te faire une omelette...

— J'ai pas envie d'omelette ! Me fais pas chier avec ton éternelle omelette ! Je le sais bien que j'ai une gueule à bouffer des omelettes. *(Notre histoire)*

*

— D'où vient cette obsession que vous avez vis-à-vis des femmes ?

— Souvenez-vous, enfant, j'étais pauvre, je n'avais pas de jouets pour m'amuser. *(Un pyjama pour deux)*

*

— Être marié à une prostituée, ce n'est pas si terrible que ça. Au moins, on sait où elle est le soir. *(The last married couple in America)*

*

— Puis on a abordé l'amour. Au plan le plus spirituel qui soit, bien entendu.

— Que voulez-vous faire d'autre par courrier ? *(Rendez-vous)*

*

— Señor Casanova, on ne doit pas vous trouver dans ma chambre ! Je vais appeler au secours !

— Mais je n'ai besoin d'aucun secours ! *(La Grande Nuit de Casanova)*

*

— Quand une femme a moins de vingt et un ans, la loi la protège, quand elle a plus de soixante-cinq ans, c'est la nature qui la protège, entre les deux, la chasse est ouverte ! *(Opération jupons)*

*

— T'es le premier mec un peu timide que je rencontre... Ça me bouleverse, forcément...

— Toi, je t'épouse, si tu veux...

— Bonne idée. Moi je te cocufie avec tout l'immeuble. Je baise avec tout l'immeuble, tous les immeubles d'à côté, et même ceux qui sont pas encore construits. Sur plans, je baise. *(1, 2, 3, soleil)*

*

— Je te défends de te mêler de mes affaires de famille.

— Tu sais, je n'ai pas voulu...

— Moi, par exemple, je ne te demande pas si c'est vrai que ta femme te trompe avec le président des

Penseurs-Jurés, n'est-ce pas ? Est-ce que je te le demande ?

— Tu ne me le demandes pas, mais tu me l'apprends ! Ô coquin de sort ! *(Fanny)*

*

— Mon cœur battait la chamade et j'avais des picotements partout – ou c'était de l'amour ou alors j'avais la varicelle. *(Prends l'oseille et tire-toi)*

*

— Je vous aimerais corps et âme...

— Les deux sont libres. Dans cet ordre. *(Astronautes malgré eux)*

*

— Vous êtes très intéressante et très pittoresque.

— N'est-ce pas ainsi que les guides décrivent les ruines ? *(The barretts of Wimpole Street)*

*

— Je ne sais pas embrasser sinon je t'embrasserais. Où va le nez ? *(Pour qui sonne le glas ?)*

*

— Mon fils, si tu es un jour aussi heureux que ta mère et moi l'avons été, sache que mon cœur saignera pour toi. *(Le Forum en folie)*

*

— Qu'est-ce que vous remarquez d'abord chez une femme ?

— Ça dépend... si elle est assise, les yeux. *(Je vous aime)*

*

— N'oublie jamais qu'une épouse vivante, même éloignée, constitue toujours une menace. *(Tango)*

*

— Tu peux vraiment pas être un peu plus gentil, non ? Rappelle-toi quand on s'est connus, mon industriel de Dinan, si je l'ai envoyé aux pelotes... un homme pourtant qui m'adorait comme la Sainte Vierge – et rien qu'un vendredi sur deux ! *(Le Chemin des écoliers)*

*

— Encore un manillon sec ! Franchement, ça ne vaut pas la peine d'être cocu ! *(César)*

*

— Elle m'a déçu... Je m'étais imaginé quelque chose de fantastique... une salope flamboyante... Et puis, en fait de salope flamboyante, qu'est-ce que j'ai découvert ? Une pauvre môme, avec des larmes de midinette, amoureuse d'un julot, et finalement pas plus salope qu'une autre... Encore une fausse joie que la vie m'aura donnée... *(Notre histoire)*

*

— Ça me paraît impossible de vivre sans Marie-Claude.

— Tu sais, il y a des types dans le monde qui vivent très bien sans ta femme.

— Je sais, ça pourrait être pire. Il y a des types qui naissent avec un œil et qui rient tout le temps. *(Ma femme s'appelle Reviens)*

— Je vais peut-être finir par m'y faire. C'est vrai, il y a des angles où t'es pas moche. *(Le Quart d'heure américain)*

*

— Je voulais lui avouer que je n'appartenais pas au Philharmonique mais ça l'impressionnait tellement... Quand elle m'a posé des questions sur Mozart, elle a eu des soupçons parce que j'ai mis du temps à retrouver qui c'était. *(Prends l'oseille et tire-toi)*

*

— Madame Babin, c'est Titine ! Vous la connaissez pas mais c'est un drôle de personnage : sans la découverte des sulfamides, elle vérolait toute la Charente ! *(Le Sang à la tête)*

*

— Non, mais dis donc, tu n'allais quand même pas me proposer une partie à quatre ?
— Non, mais t'es fou... je bois déjà pas dans le verre des autres ! *(Viens chez moi, j'habite chez une copine !)*

*

— Elle couche là ce soir ta copine ?
— Je sais pas, j'ai pas encore négocié. *(Viens chez moi, j'habite chez une copine !)*

*

— Je te lis le début : « Hildegarde, je ne t'ai peut-être jamais autant aimée que cette nuit et pourtant tu vas rire, je te quitte... »

— Enlève « Tu vas rire ». *(Clara et les Chics Types)*

*

— La capote, c'est le soulier de vair de notre génération. On l'enfile quand on rencontre une inconnue, on danse toute la nuit, et puis on la balance. *(Fight club)*

*

— Je suis tout à fait banale comme femme ! Qu'est-ce que j'ai de plus que les autres ?

— Tu fais pas de chichis, ma grande, c'est tout ! Nos femmes, elles font des chichis et puis toi t'en fais pas, la voilà la différence ! On te regarde, t'es contente... On te touche, t'es contente... On t'emmène dans un palace, t'es contente... On t'emmène dans un sous-bois, t'es contente... t'es toujours contente... Et nous, ça nous rend heureux... *(Notre histoire)*

*

— Un petit pénis est un handicap. Rirais-tu d'un homme en fauteuil roulant ? *(Scary Movie)*

*

— Kate est une fille spéciale ?

— Kate est un iceberg qui attend son *Titanic*. *(Bandits)*

*

— Le sexe, c'est mieux que la conversation. Demande à n'importe qui dans ce bar... la conversation, c'est ce qu'on doit endurer avant d'arriver au sexe. *(Hollywood endings)*

CIRCULEZ, Y A RIEN À VOIR

— L'exercice a changé ma vie !

— Je préfère m'atrophier. *(Meurtres mystérieux à Manhattan)*

*

— T'as pas vu ton pif !! Quand tu te mouches t'as pas l'impression de serrer la main à un pote ? *(Les Visiteurs)*

*

— Après tout, un problème n'est jamais aussi permanent qu'une solution... *(Torch song trilogy)*

*

— Le tabac blond, c'est comme l'eau dans le vin, ça m'échappe. Pour moi, le tabac est brun, le vin est pur, le gigot est à l'ail et les femmes sont jeunes... *(Mon père avait raison)*

*

— Ne serait-ce qu'à cause de ton vocabulaire, tu ne connaîtras jamais l'atroce volupté des grands chagrins d'amour... mais tout le monde n'a pas la stature d'un tragédien... contente-toi du bonheur, la consolation des médiocres. *(L'Incorrigible)*

*

— Si l'homme avait ce qu'il méritait, il vivrait dans un extrême dénuement. *(Lady Paname)*

*

— Le chagrin, c'est comme le ver solitaire : le tout, c'est de le faire sortir. *(Fanny)*

*

— L'inquiétude, c'est comme un intérêt payé par avance sur une dette qui n'existera pas. *(La Prisonnière espagnole)*

*

— Les cons, ça ose tout, c'est même à ça qu'on les reconnaît. *(Les Tontons flingueurs)*

*

— Mieux vaut l'aveugle qui pisse par la fenêtre que le farceur qui lui a fait croire que c'était l'urinoir. *(Coup de torchon)*

*

— Plus d'oiseaux. Plus de poissons. Plus d'insectes. Et toujours des cons ! *(Vive les femmes)*

*

— J'ai toutes les prétentions hormis celle d'être modeste. *(Ceux de chez nous)*

*

— Tuer le temps ? Il n'a pas besoin de vous pour ça. Il meurt à chaque instant. On devrait au contraire l'empêcher de mourir. *(Raphaël ou le Débauché)*

*

— L'excès de zèle, c'est l'ambition du médiocre. *(Vidange)*

*

— Ne jouez pas au plus con avec moi, vous n'êtes pas sûr de gagner ! *(Le Pistonné)*

*

— Quand on apporte une mauvaise nouvelle, personne ne pense à vous offrir à boire. *(César)*

*

— J'en ai rien à foutre, Riggs. Et tu veux savoir pourquoi je n'ai pas d'ulcère ? Parce que je sais quand il faut dire : « J'en ai rien à foutre. » *(L'Arme fatale 2)*

*

— La vérité est blessante, n'est-ce pas ? Oh, bien sûr, pas autant que de sauter d'un tremplin avec un vélo sans selle... *(Y a-t-il un flic pour sauver le président ?)*

*

— Qui c'est ce gros con ?
— C'est un babo...
— C'est quoi un babo ?
— C'est un gros con. *(Trois Zéros)*

*

— Si vous voulez aller sur la mer, sans aucun risque de chavirer, alors n'achetez pas un bateau : achetez une île ! *(Fanny)*

*

— Le bonheur, c'est le somnifère de l'amour. *(La Totale)*

*

— Froides sont les mains du temps qui avance inexorablement... notre mémoire seule résiste à la désintégration... et tout cela est si compliqué à dire avec de fausses dents ! *(Madame et ses flirts)*

*

— Un homme mûr, c'est quelqu'un qui ne considère en aucun cas le mot « oui » comme une réponse valable. *(Le Pantin brisé)*

*

— J'ai toujours dit qu'un baisemain c'était agréable mais qu'une rivière de diamants durait plus longtemps. *(Les hommes préfèrent les blondes)*

*

— Jamais de glace dans le whisky. Ça bouffe trop de place. *(Chercheurs d'or)*

*

— Les femmes devraient être tenues propres et illettrées, comme les canaris. *(La Femme de l'année)*

*

— C'est un déjeuner raté, les gars, c'est tout. C'est pas méchant un déjeuner raté... Y a tout de même des choses plus graves...

— Alors, voilà typiquement le genre de raisonnement qui me fait chier !... Le mec, tu te casses une jambe, il te dit : « C'est pas méchant, c'est rien une jambe cassée, c'est moins grave qu'un cancer ! » Imparable ! Plus rien n'a d'importance ! Ta femme se tire, c'est pas méchant, remercie le ciel de pas être aveugle !... T'as un enfant qui se drogue, c'est pas grand-chose non plus, pourrait y avoir la guerre !... La guerre est déclarée, pas grave, elle est pas nucléaire, c'est une conventionnelle, des vieux obus, c'est rien du tout ! on les prend sur la gueule, c'est rien du tout ! *(Les Acteurs)*

*

— Est-ce que tu t'es déjà posé la question à laquelle personne n'a jamais répondu ? La grande question : Quand on se gratte les couilles, à partir de quel moment on le fait parce que ça vous démange ou parce que ça vous fait plaisir ? *(Coup de torchon)*

*

— L'honneur est comme les allumettes : ça ne sert qu'une fois. *(Marius)*

*

— Quand une femme dit la vérité, c'est pour déguiser un mensonge. *(Fanfan la Tulipe)*

*

— Si le meurtre de douze innocents peut aider à sauver une seule vie humaine, cela vaut la peine ! *(L'Homme aux deux cerveaux)*

*

— Le désir, l'ambition, la religion... sans eux la vie serait tellement simple ! *(L'Invasion des profanateurs de sépultures)*

*

— Nous avons inventé le destin parce que nous ne pouvions supporter le fait que tout ce qui arrive est accidentel. *(Nuits blanches à Seattle)*

*

— Un intégriste, c'est quelqu'un qui veut que tout le monde pense comme lui. C'est comme un daltonien qui voudrait te convaincre que le rouge est vert... parce que pour lui le rouge... effectivement il est vert. *(Marius et Jeannette)*

*

— Ce qui se dit la nuit ne voit jamais le jour. *(Jet-Set)*

*

— Sans Goliath, David n'est qu'un merdeux qui jette des pierres. *(My Giant)*

*

— On arrive plus facilement à ses fins avec un mot gentil et un flingue qu'avec seulement un mot gentil. *(Les Incorruptibles)*

*

— Oh, t'as pas toujours été aussi fatalitaire...
— Fataliste.
— Si tu veux... Le résultat est le même... *(Hôtel du Nord)*

*

C'est l'avantage d'être célibataire. On peut manger de l'oignon. *(L'Horloger de Saint-Paul)*

*

— Un pessimiste, c'est un optimiste qui a de l'expérience. *(Un autre homme, une autre chance)*

*

— Je suis avare. C'est le seul vice qui ne coûte rien. *(Que la fête commence)*

— Il paraît que tu veux jamais l'inviter à danser, c'est vrai ?

— J'aime pas la danse.

— Moi non plus, j'aime pas la danse. Mais il y a moyen de se faire violence.

— Y a assez de violence comme ça dans le monde, c'est pas la peine d'en rajouter. *(Notre histoire)*

*

— Il faut se méfier des gens qui vendent des outils mais qui s'en servent jamais. *(La Fille du puisatier)*

*

— Il s'appelle Jean-Patrice Benjamin, mais au ministère, on l'appelle Ducon. Vous trouverez son numéro dans l'annuaire... à Benjamin, hein, pas à Ducon. *(Le Dîner de cons)*

*

— Un jour, je suis ici, un jour, je suis ailleurs. Mais tout de même, ça réchauffe le cœur de voir un bonheur nouveau.

— Quand tu auras fini de parler entre guillemets, tu le diras ! *(Les Visiteurs du soir)*

*

— Un secret, ce n'est pas quelque chose qui ne se raconte pas. Mais c'est une chose qu'on se raconte à voix basse, et séparément. *(César)*

*

— Seriez-vous insensible à la nostalgie, brigadier Dudu ?
— Non, mais j'aime pas penser à reculons, je laisse ça aux lopes et aux écrevisses. *(Un taxi pour Tobrouk)*

*

— À notre époque, le mépris des proverbes, c'est le commencement de la fortune. *(Topaze)*

*

— La première impression est toujours la bonne. Surtout quand elle est mauvaise. *(Les amoureux sont seuls au monde)*

*

— C'est un monde idiot.
— Le monde a toujours été idiot pour ceux qui ne savent pas s'en servir. *(Solo)*

*

— Jeune homme, je vais vous dire un secret : tous les chapeaux de femmes sont des monstruosités. C'est un secret que nous, les hommes, devons emporter dans notre tombe. *(Le Gai Mensonge)*

*

— Un intellectuel assis va moins loin qu'un con qui marche. *(Un taxi pour Tobrouk)*

*

— En diplomatie, la plus courte distance entre deux points n'est jamais la ligne droite. *(Intrigues en Orient)*

*

— Si on ne souffrait pas de temps en temps, le bonheur ne serait plus supportable. *(Les amoureux sont seuls au monde)*

*

— Ce qui importe, c'est le rythme. Le martini dry doit toujours être secoué au rythme de la valse. *(L'Introuvable)*

*

— Le rire est une chose humaine, une vertu qui n'appartient qu'aux hommes et que Dieu peut-être leur a donné pour les consoler d'être intelligents. *(Le Schpountz)*

*

— Dans quelle branche était mon grand-père ?
— La philosophie ?
— Et on peut faire de l'argent avec de la philosophie ?
— Oh oui. Si on a la bonne. *(Max Dugan returns)*

*

— Quand vous voulez que les gens vous écoutent, vous ne pouvez pas vous contenter de leur taper sur l'épaule. Il faut y aller à coups de marteau. *(Seven)*

*

— On ne doit jamais faire confiance à quelqu'un qui porte un nœud papillon. La cravate, elle, pend, afin de mettre l'accent sur les parties génitales. Pourquoi est-ce qu'il faudrait faire confiance à quelqu'un qui ressent le besoin de mettre l'accent sur ses oreilles ? *(Séquences et Conséquences)*

*

— Il y a des gens qui parlent, qui parlent – jusqu'à ce qu'ils aient enfin trouvé quelque chose à dire. *(Mon père avait raison)*

*

— Je n'ai même plus de temps à consacrer aux flatulences ni aux orgasmes ! *(Le Baron de Münchhausen)*

*

— Pour une fois que je tiens un artiste de la Renaissance, j'ai pas envie de le paumer à cause d'une bévue ancillaire.
— Une quoi ?
— Une connerie de ta bonniche. *(Le cave se rebiffe)*

*

— La décoration, c'est mon violon dinde ! *(La Vengeance du serpent à plumes)*

*

— Pourquoi ne portes-tu qu'un seul éperon ?
— Quand la moitié du cheval démarre, l'autre suit. *(Un autre homme, une autre chance)*

*

— Allez doucement, chauffeur. Nous sommes très pressés ! *(Les Félins)*

*

— La plus grande surprise que puisse faire un con, c'est de faire une pause. *(Le Moustachu)*

*

— On n'apprécie une vessie qui fonctionne que quand elle vous lâche. *(Le Journal)*

*

— Eh, Marty ! C'est des nouvelles lunettes ?
— Ben oui, seulement pour le lycée. Vous trouvez pas qu'elles m'avantagent ?
— Non, on voit encore ton visage. *(Grease)*

*

— Regarde-moi le mignon avec sa face d'alcoolique, sa viande grise, avec du mou partout, du mou du mou, rien que du mou. Dis donc, tu ne vas pas changer de gueule un jour ? Et l'autre, la rombière, la guenon gélatine et saindoux. Trois mentons et les nichons qui lui dévalent sur la brioche. Cinquante ans chacun, cent ans pour le lot, cent ans de connerie ! *(La Traversée de Paris)*

— Vous ne m'écoutiez pas.
— Si... Qu'est-ce que vous disiez ? *(Cible émouvante)*

*

— C'est pas poli de lire devant la télé. *(Circulez, y a rien à voir)*

*

— Et votre linge sale, vous le mettez où ?
— Ben... On le porte. *(Les Apprentis)*

*

— Je crois que mon plus grand problème est d'être jeune et beau. Je n'ai jamais été jeune et beau. Oh, j'ai été beau, et Dieu sait si j'ai été jeune, mais jamais les deux en même temps ! *(Torch song trilogy)*

*

— Quand on mettra les cons sur orbite, t'as pas fini de tourner. *(Le Pacha)*

*

L'hôtesse aux passagers :
— Il n'y a aucune raison de s'alarmer. Gardez votre calme. Nous vous souhaitons une bonne fin de vol. Si quelqu'un à bord sait piloter un avion, merci de me contacter de toute urgence. *(Y a-t-il un pilote dans l'avion ?)*

*

— Ma tante Rose... pas du tout une belle femme... elle ressemblait à un truc acheté dans une boutique d'appâts vivants. *(Broadway Danny Rose)*

*

— Pour moi, un arbitre qui n'est pas anglais, c'est rien qu'un merdaillon en pantalon court qui joue avec un sifflet ! *(Les Vieux de la vieille)*

*

— Vous n'êtes pas très grand, n'est-ce pas ?
— J'essaie pourtant... *(Le Grand Sommeil)*

*

— Ô Benson, mon cher Benson, te voilà, par la grâce du ciel, toujours épargné par les ravages de l'intelligence ! *(Bandits, bandits)*

*

— Si j'avais une voix pareille, je me pendrais à mes cordes vocales. *(Lady Paname)*

*

— J'aimerais tant être comme toi... je crois qu'il me suffirait d'une lobotomie et d'une paire de collants. *(Breakfast club)*

*

— On pourrait garer une voiture à l'ombre de son cul ! *(Thelma et Louise)*

*

— Tu es décevant, Nero. Mais tu sais ce qui me déçoit encore plus ?
— Ta vie sexuelle ? *(Strange days)*

*

— Raconte-moi une histoire.
— Va te faire foutre !
— Oh, c'est ma préférée ! *(48 heures)*

*

— « Le capitaine Hauk lèche la transpiration des balles d'un homme mort. » Je n'ai aucune idée de ce que ça peut bien vouloir dire mais ça me semble pourtant assez négatif à son égard. *(Good morning Vietnam)*

*

— Vous me paraissez avoir plus besoin d'une fellation que n'importe quel autre homme blanc dans l'histoire de la race humaine. *(Good morning Vietnam)*

*

— Si la haine était un pays, je serais la Chine ! *(La Vie, l'amour, les vaches)*

*

— Qui es-tu ?
— Je suis un ami d'Owen.
— Owen n'a pas d'amis !
— C'est parce qu'il est timide.
— Non, il n'est pas timide. Il est gros et idiot. *(Balance maman hors du train)*

*

— On va demander à un passant.
— Les passants sont tous des cons. *(Zazie dans le métro)*

*

— Tu vas où ?
— Pisser. Tu veux venir ? Le docteur m'a déconseillé de porter seul des objets trop lourds... *(Le Dernier Samaritain)*

*

— Tu es la mauvaise personne au mauvais endroit au mauvais moment.
— C'est l'histoire de ma vie, mec. *(58 minutes pour vivre)*

*

— Je suis réveillé.
— Mais tes yeux sont fermés.
— Qui crois-tu ? *(Miller's crossing)*

*

— Monsieur Treehorn traite les objets comme des femmes ! *(The Big Lebowski)*

*

— D'où êtes-vous ?
— Éthiopie.
— Quel côté ?
— 125e rue. *(La Folle Histoire du monde)*

*

— Il n'y a rien de mauvais en toi dont un petit Prozac et un maillet de polo ne puissent venir à bout. *(Meurtres mystérieux à Manhattan)*

*

— En ce moment, je fais toujours le même rêve. Je nage dans la Seine et tout d'un coup, j'avale un rat. Alors j'étouffe et pis je coule. En bas, y a des huîtres, elles m'attrapent les chevilles. Alors je vomis le rat sur les huîtres, le rat, il attaque les huîtres, je remonte à la surface, j'prends une péniche sur la tête et là, j'me réveille. *(Bernie)*

*

— T'es déjà monté sur un crevettier ?
— Non, je suis monté sur d'autres arbres ! *(Forrest Gump)*

*

— Pardon, Monsieur, la rue Gustave-Flaubert, s'il vous plaît ?

— Qu'est-ce que vous allez foutre, rue Gustave-Flaubert ?

— Mais enfin, Monsieur, ça ne vous regarde pas !

— Alors m'emmerdez pas ! *(Calmos)*

À W. C. Fields qui vient de faire une chute :

— Vous êtes blessé ?

— Non. J'ai eu la présence d'esprit de tomber sur la tête. *(Parade du rire)*

*

— Ce n'est pas le mauvais bougre... si on oublie son apparence, son intelligence et sa personnalité. *(Miller's crossing)*

*

— Est-ce que tu vois un anneau à mon doigt ? Est-ce que cet appart a l'air d'un appart d'homme marié ? La lunette des toilettes est levée, mec ! *(The Big Lebowski)*

*

— J'ai croisé un pigeon voyageur et un perroquet.

— Pour quoi faire ?

— Pour pouvoir envoyer des messages verbaux. *(Sans peur et sans reproche)*

*

— Je suis comme les éléphants. Je n'oublie jamais.

— De quoi un éléphant peut-il bien avoir à se rappeler ? *(Fifi peau de pêche)*

*

— Je n'aime ni son visage ni rien en lui. Il a l'air d'un aigle de Bulgarie pelé en deuil de son premier-né. *(29th Street)*

*

— À partir d'aujourd'hui, quand tu voudras t'adresser à moi commence par le mot « au revoir ». *(Little Miss Broadway)*

*

— Clémentine, ne serais-tu pas assise sur mon chapeau ?
— Ah oui... je le cachais entièrement ce petit chapeau...
— Un sombrero aurait subi le même sort. *(No time for comedy)*

*

— On n'oublie pas un visage comme le mien.
— Comment le savez-vous ?
— J'essaye depuis des années. *(Abbott et Costello à Hollywood)*

*

— Vous avez plus de poil dans le nez que mon papa...
— Merci de le remarquer.
— Normal. Je suis un gamin. C'est mon boulot. *(Uncle Buck)*

*

— Les poissons doivent en avoir ras le bol des fruits de mer. *(Arthur)*

*

— Vous allez me dire ce que j'ai dans le ventre ?

— Tu as un monstre au fond de toi. Ces types ont piraté la navette où tu étais. Ils ont vendu ton cryotube à cet homme-là. Il t'a mis un alien à l'intérieur de ton corps. Un spécimen très agressif. Il va sortir en te crevant la cage thoracique et tu vas mourir. D'autres questions ? *(Alien)*

*

— Je ne savais pas que tu étais daltonien.

— C'était le seul moyen de supporter tes cravates. *(Strange days)*

*

— Il a toutes les caractéristiques du chien. Hormis la loyauté. *(Best)*

*

— J'ai besoin d'un Valium de la taille d'un ballon de foot ! *(Broadway Danny Rose)*

*

— Sache que dans mon esprit, je t'ai enterrée dans le ciment jusqu'au cou. Jusqu'au nez plutôt, ça sera plus calme. *(Qui a peur de Virginia Woolf ?)*

*

— Vous savez, Sheridan Witheside, vous avez un privilège énorme par rapport à tout le monde : vous n'aurez jamais à rencontrer Sheridan Witheside. *(The man who comes to dinner)*

*

— Le pique-nique est terminé. Nous n'avons plus de fourmi rouge. *(Monnaie de singe)*

*

— Tu as tout bu ! Nous étions censés le partager !

— Je n'ai pas pu faire autrement, ma moitié était dans le fond ! *(La flotte est dans le lac)*

*

— Je me sens comme si toute l'armée russe en chaussettes avait marché sur ma langue. *(Poker party)*

*

— Je parie que ton père a passé la première année de ta vie à jeter des pierres aux cigognes. *(Un jour au cirque)*

*

— Il n'a pas un ennemi au monde. Seuls ses amis le haïssent. *(Procès de singe)*

*

— J'espère qu'un jour quelqu'un te dira ce que je pense vraiment de toi ! *(La Huitième Femme de Barbe Bleue)*

*

— Nous sommes intellectuellement opposés. Je suis l'intellectuel et toi l'opposé. *(Je veux être une lady)*

*

— C'est la première erreur que nous commettons depuis le jour où ce type nous a vendu le pont de Brooklyn. *(Laurel et Hardy au Far West)*

*

— Je n'ai jamais été aussi heureux que le jour où j'ai embrassé ma belle-mère en oubliant le cigare dans ma bouche ! *(Josette)*

*

— Taxi... Waterloo.
— La gare, monsieur ?
— Oui, c'est un peu trop tard pour la bataille. *(Where the bullets fly)*

*

— C'est Kansas City, Kansas ou bien Kansas City, Missouri ?
— C'est Wu Hu, Chine.
— Mais que fait Wu Hu à la place de Kansas City ?
— Je pense que vous vous êtes perdu...

— C'est Kansas City qui est perdu, moi je suis là ! *(Million dollar legs)*

*

— Comment tu t'appelles ? Denise ? Odile ? Monique ?
— Monique.
— Ah, j'en étais sûr ! Même pas foutu de trouver un prénom original ! *(Tenue de soirée)*

*

— Le soleil, c'est un Italien qui l'a inventé ! Et l'opéra aussi ! *(1, 2, 3, soleil)*

*

— Monsieur Steele, pourquoi êtes-vous arrivé quarante-cinq minutes en retard à la conférence de presse ?
— Je vous demande de m'excuser. J'ai dû faire du bouche-à-bouche à une bouteille de tequila. Elle en est morte. *(Le Cavalier électrique)*

*

— Bâtard, va !
— Aléas de la naissance dans mon cas. Toi, tu t'es fait tout seul ! *(Les Professionnels)*

*

— Oh, ça sera facile – autant que d'éplucher une tortue. *(L'amour chante et danse)*

*

— Écoute Paul, tu es très sympa mais tu chancelles pour un rien. Je voudrais pas être à ta place le jour où tu rencontreras une coccinelle sans taches noires. *(Tango)*

— Je suis un chiomme : mi-chien mi-homme. Je suis moi-même mon meilleur ami. *(La Folle Histoire de l'espace)*

*

— Patricia rendrait le café nerveux. *(Vous avez un message)*

*

— Mon Dieu, un homo noir et de droite ! Je crois que j'aurai tout vu maintenant ! *(Get on the bus)*

*

— Le grand-père prend son canne.
— Sa canne.
— Pourquoi ?
— Parce que c'est féminin. On dit une canne. Continuez.
— La grand-mère prend sa ombrelle.
— Son ombrelle.
— Pourquoi ?
— Parce que c'est féminin. On dit une ombrelle.
— Comme une canne ?
— Oui.
— Comprends pas. *(Monsieur Ripois)*

*

— Il y a longtemps qu'on ne m'avait pas posé de lapin. C'est un mot que j'avais presque oublié. Vous l'avez fait resurgir du passé, comme d'autres mots que l'on n'entend plus. Par exemple, on n'entend plus jamais le mot « limonade ». Personne ne dit : « J'ai bu une excellente limonade à midi. » *(La Maman et la Putain)*

*

— Il s'appelle Juste Leblanc.

— Ah bon, il a pas de prénom ?

— Je viens de vous le dire. Juste Leblanc. Leblanc c'est son nom et c'est Juste son prénom.

— Euh...

— Monsieur Pignon, votre prénom à vous, c'est François, c'est juste ?

— Oui.

— Eh bien, lui, c'est pareil, c'est Juste. *(Le Dîner de cons)*

*

— Il paraît qu'il est tellement lèche-cul qu'il lui faut du PQ pour se moucher. *(Le Policeman)*

*

— Oh, je sens plus mes pieds !

— Vous avez de la chance ! *(Une époque formidable)*

*

— Je ne prie pas. M'agenouiller salope mes bas Nylon. *(Le Gouffre aux chimères)*

*

— J'avais un boa consquistador...
— Non, un boa conquistador.
— Oui, un boa con qui m'adorait, quoi. *(Céline et Julie vont en bateau)*

*

— Dans un verre, il n'y a que trois tiers.
— Mais imbécile, ça dépend de la grosseur des tiers ! *(Marius)*

*

— Tu n'es pas bon à rien, tu es mauvais à tout ! *(Le Schpountz)*

*

— J'ai une chose à te dire.
— Quelle chose ?
— Non, je te le dirai demain matin.
— Mais pourquoi pas maintenant ?
— Autrement, tu ne pourrais pas dormir. *(Baisers volés)*

*

— Qu'est-ce que vous faites là ?
— Je fais pitié. *(Nouvelle Vague)*

*

— Oh, la vache, un cheval ! *(Les 400 coups)*

*

— Faites donc avouer à un Japonais qu'il est juif, vous verrez si c'est commode ! *(Babette s'en va-t-en-guerre)*

*

— Je te le jure sur la tête de ma mère qui meurt à l'instant ! *(Tirez sur le pianiste)*

*

— Salut.
— Salut. T'as noué ta cravate avec des moufles ? *(Scènes de crimes)*

*

— À quoi tu penses ?
— Je pense pas, je m'emmerde.
— On dirait que tu penses quand tu t'emmerdes. *(Le Goût des autres)*

*

— Tu sais ce qu'on dit à propos du Martini ? On dit que c'est comme les seins des filles. Trois, c'est un de trop mais un seul c'est pas assez. *(À cause d'un assassinat)*

*

— Qui c'est celui-là ?
— C'est le père de la petite. Un con fini à ce qu'il paraît.
— La connerie, ça finit jamais. *(Meilleur Espoir féminin)*

*

— Je n'ai que deux mots à te dire : Bra-vo ! *(Mille Milliards de dollars)*

*

— Tu es pâle, tu es triste : on dirait un antialcoolique. *(Marius)*

*

— Monsieur Escartefigue, lorsque vous dites des choses pareilles, vous battez tous les records de stupidité, c'est-à-dire que vous serrez sur votre cœur les bornes du couillonnisme, et que vous courez à toute vitesse pour les transporter plus loin, afin d'agrandir votre domaine. *(César)*

*

— Pour tout vous dire, dans la vie de tous les jours, je suis quelqu'un d'assez difficile. Je mets mes pieds sur le lit, je fais du bruit en mangeant, je ne tire jamais la chasse d'eau. Évidemment, je ne range rien. Je fais partie de ces gens qui perdent beaucoup à être connus. *(Je ne vois pas ce qu'on me trouve)*

*

— C'est un chien qui aime trop le miel...
— Et c'est le miel qui le fait gonfler ?
— Non. C'est les abeilles. *(La Femme du boulanger)*

*

— Elle aime la grenadine ?

— Ça dépend dans quoi ! *(Comment réussir en amour quand on est con et pleurnichard)*

*

— Je hais les minijupes. Comme je dis toujours : mettez des jupes mi-longues et laissez le vent faire le reste ! *(L'escadre est au port)*

*

— Tu dis toujours ce que tu fais. Tu n'as jamais pu ouvrir une porte sans dire : « J'ouvre une porte. » *(L'Homme du train)*

*

— Quand on fera danser les couillons, tu ne seras pas à l'orchestre. *(Marius)*

*

— Pourquoi est-ce qu'elle boit ?

— Il doit bien y avoir une raison.

— Il y en a une : elle aime ça. *(Les Girls)*

*

— Je voulais vous remercier pour nous avoir invités à dîner l'autre soir. Cheryl a trouvé le Stroganov délicieux.

— Mais nous n'avons jamais dîné ensemble...

— Ah bon... mais où suis-je allé alors ? Et qui est cette Cheryl ? *(Hot shots)*

*

— Je hais les douches froides. Elles me stimulent et après je ne sais plus quoi faire. *(Humoresque)*

*

— Voulez-vous être présenté à nos invités ?
— Je préférerais être propulsé par un canon. *(Si ma moitié savait ça)*

*

— J'ai eu une puberté que je ne souhaiterais pas à mon pire ennemi. *(Ma femme s'appelle Reviens)*

*

— Est-ce que tu dois absolument dire tout ce qui te passe par l'esprit ? Est-ce que tu crois vraiment que toutes tes pensées doivent tomber sur ta langue comme dans une machine à chewing-gum ? *(Les Quatre Saisons)*

*

— Pour ce qui est de la qualité de ses jugements, Bob se situe à peu près au même niveau que Custer et Nixon. *(Micky et Maud)*

*

— Si je pense que tu es extravagante ? Mais bien sûr que non voyons, tout le monde va faire réparer sa montre en Suisse ! *(À fond la fac)*

*

— Elle jouait le rôle d'une fille qui cherchait, qui cherchait, qui cherchait...
— Elle cherchait quoi ?
— Elle ne savait plus. C'est pour ça qu'elle cherchait, qu'elle cherchait... *(Un vrai cinglé de cinéma)*

*

— Ma bouche est si sèche qu'on pourrait y projeter Lawrence d'Arabie. *(Les Invitations dangereuses)*

*

— Je déteste l'aurore ! L'herbe a l'air d'avoir été oubliée dehors toute la nuit ! *(L'Impasse tragique)*

*

— Mon père était arménien et ma mère moitié juive, moitié anglaise et moitié espagnole.
— Ça fait trois moitiés ?
— Oh... c'est-à-dire que c'était une grosse femme. *(Caddyshack 2)*

*

— Ce film se déroule à Paris en ce temps béni où une sirène était encore une brunette et non une alarme. *(Ninotchka)*

*

— Je ne peux pas être en deux endroits en même temps.
— Pourquoi pas ? Boston et Philadelphie sont bien en deux endroits en même temps. *(Copacabana)*

*

— Dis-le. Pour moi. Pour qu'une fois au moins je t'entende dire autre chose que : « Les soirées sont fraîches. » Vas-y : « Fernand est un gros con. » *(L'Homme du train)*

*

— Tu vois ce qu'il y a de dramatique avec toi, Charlot, c'est que t'es con et méfiant. Parce que, quand je te dis que t'es con, tu me crois pas. *(La Bonne Année)*

*

— Je peux vous donner une belle chambre avec un bain...

— Donnez-moi la chambre, je prendrai le bain tout seul ! *(Poker party)*

*

— J'adore votre façon d'être.

— Depuis combien de temps ?

— Cela n'est-il pas rétroactif ? *(Ne mangez pas les marguerites)*

*

— Nous n'avons pas étudié le cheval dans les mêmes écoles. Vous étiez à Vaugirard quand j'étais à Saumur. Et j'apprenais le pas espagnol quand vous débitiez du saucisson sur votre étal ! Alors brisons là, voulez-vous ! Chacun dans sa sphère ! C'est pourquoi dans l'avenir je vous prierais de ne plus m'adresser la parole. Même de loin. *(Le Gentleman d'Epsom)*

*

— Que faisiez-vous dans la nuit du 5 octobre 1902 ?
— Je n'étais alors qu'une lueur dans les yeux de mon père. *(L'Introuvable)*

*

— Je ne me suis pas bien reposé la nuit dernière.
— Comment peux-tu dire ça, tu as dormi comme un bienheureux...
— Mais je rêvais que j'étais réveillé ! *(Blondie plays cupid)*

*

— Les insectes ne font pas de politique. Ils sont brutaux. Pas de compassion, pas de compromis. On ne peut pas faire confiance à un insecte. *(La Mouche)*

*

— Il a beaucoup de charme.
— Ça lui vient naturellement. Son grand-père était un serpent. *(La Fille du vendredi)*

*

— Il s'appelle comment votre ami ?
— Mimosa.
— Comme les fleurs.
— Non, comme les œufs ! *(Une époque formidable)*

*

— Ça s'improvise pas vraiment l'élevage...
— Tu parles ! On apprendra sur le tas ! C'est la pre-

mière année le plus dur. J'ai un copain qui m'a renseigné là-dessus. Lui, il faisait dans le porc. Les premiers mois, il a eu des cas de suicides dans le bétail puis après ça s'est arrangé ! *(Viens chez moi, j'habite chez une copine !)*

*

— On s'entendra comme le bruit et la gueule de bois si tu restes ici ! *(Police spéciale)*

*

— À votre âge, et quand on porte votre nom, madame, les gros mots ne peuvent être que des citations ! *(Le Corps de mon ennemi)*

*

— La vie est comme une boîte de chocolats, on ne sait sur quoi on va tomber. *(Forrest Gump)*

*

— Ce mec, avec sa tronche à gagner un concours de grimaces sans bouger la figure ! *(Le Quart d'heure américain)*

*

— J'ai besoin de toi comme d'un furoncle au cul. *(Sanglantes Confessions)*

*

— Vous voulez un whisky ?
— Oh, juste un doigt.
— Vous ne voulez pas un whisky d'abord ?
(La Cité de la peur)

— Tu vois, je me disais là, en te regardant beurrer mécaniquement tes tartines, de Gaulle avait raison, la vieillesse est un naufrage. Qu'est-ce que t'en penses ?
— Je ne sais pas, je fais pas de politique ! *(HS)*

*

— Do you speak french ?
— Oui, monsieur !
— Ah, je aussi ! *(Le Roi de cœur)*

*

— Chercher l'oubli dans l'alcool, c'est mon passe-temps favori. Le reste du temps, je bois pour m'abrutir. *(Trixie)*

*

— J'ai arrêté de fumer. Au début, ça a été l'enfer, puis il y a eu une période où je m'en foutais, et là je peux pas dormir.
— T'as arrêté quand ?
— À cinq heures, cet après-midi. *(Attention, une femme peut en cacher une autre)*

*

— Eh, Émilien ! On en a un bien, là, pour ton livre des records. Écoute ça : un taxi, le long du port. Devine combien ?
— 140 ?
— Il y est passé, ouais. Ensuite, il a mis la seconde. *(Taxi)*

*

— Je me suis installée définitivement dans le provisoire. *(La Dilettante)*

*

— Ce qu'il y a d'embêtant avec les bateaux, c'est que la sauce des asperges ne reste jamais où on la met. *(Bonne Chance)*

*

— Elle ne leur semble pas normale. Parce qu'elle n'a pas des doigts spatulés et rougeauds, ils disent qu'elle a des mains de singe, parce qu'elle n'est pas trop grosse, ils la trouvent trop maigre, et parce que ses joues ne sont pas violacées, ils croient qu'elle est tuberculeuse. *(Le Trésor de Cantenac)*

*

— Qu'est-ce qui est arrivé à ton nez ?
— Je me suis mordu en me rasant. *(Someone like you)*

*

— Je peux te poser une question ?
— Tu viens de le faire. *(Choose me)*

*

— Je suis devenu l'homme que j'ai toujours eu peur de devenir. Mais je suis plus heureux comme ça. *(Celebrity)*

FILMOGRAPHIE

(R. : Réalisateur ; S. : Scénariste ; D. : Dialoguiste ; Adapt. de : Adapté de)

1, 2, 3, soleil (1993, R., S., D. : B. Blier)
29th Street (1991, R. : G. Gallo, S. : F. Pace, J. Franciscus)
36 heures à vivre (1948, R. : C. Barton, S. : J. Grant)
40 carats (1973, R. : M. Katselas, S. L. Gershe, Adapt. de : P. Barillet, J.-P. Grédy)
42th Street (1933, R. : L. Bacon, S. : R. Jones, Adapt. de : B. Royes)
48 heures (1982, R. : W. Hill, S. : R. Spottishwoode)
100 000 dollars au soleil (1963, R. : H. Verneuil, S. : H. Verneuil, M. Jullian, D : M. Audiard, Adapt. de : C. Veillot)
58 minutes pour vivre (1990, R. : R. Harlin, S. : S. E. de Souza)
À cause d'un assassinat (1974, R. : A. Pakula, S. : D. Miller, L. Semple Jr)
À fond la fac (1986, R. : A. Meter, S. : S. Kampmann, P. Torokvei)
Abbott et Costello à Hollywood (1945, R. : S. S. Simon, S. : N. Perrin)

Abbott et Costello contre Frankenstein (1948, R. : Ch. Berton, S. : R. Lees, F. I. Rinaldo)
Ace in the hole (1942, R. : A. Lovy, S. : B. Hardaway, M. Schaffer)
Ace Ventura (1994, R. : T. Shadyac, S., D. : J. Bernstein)
Adhémar ou le Jouet de la fatalité (1951, R. : Fernandel, S., D. : S. Guitry)
African Queen (1951, R. : J. Huston, S., D. : J. Agee, J. Huston, Adapt. de : C. S. Forester)
Alien (1979, R. : R. Scott, S. : D. O'Bannon, R. Shusett)
All that jazz (1979, R. : B. Fosse, S. : B. Fosse, R. A. Aurthur)
American Beauty (1999, R. : S. Mendes, S. : A. Ball)
Archimède le clochard (1958, R. : G. Grangier, S. : A. Valentin, D. : M. Audiard)
Armed and dangerous (1986, R. : M. L. Lester, S. : B. Grazer, J. Keach)
Arnaques, crimes et botanique (1998, R., S., D. : G. Ritchie)
Arsenic et Vieilles Dentelles (1944, R. : F. Capra, S., D. : P. G. et J. J. Epstein)
Arthur (1981, R. : S. Gordon)
Assassins et Voleurs (1957, R., S., D. : S. Guitry)
Astronautes malgré eux (1962, R. : N. Panama, S. : N. Panama, M. Franck)
At the races (1934, R., S. : Roy Mak)
Attention, une femme peut en cacher une autre (1983, R. : G. Lautner, S., D. : J.-L. Dabadie)
Au Bonheur des dames (1943, R. : A. Cayatte, Adapt. de : É. Zola)
Au nom d'Anna (2000, R. : E. Norton, S. : S. Blumberg)
Austin Powers 2 (1999, R. : J. Roach, S., D. : M. Myers, M. McCullers)
Autopsie d'un meurtre (1959, R. : O. Preminger, S. : W. Mayes, Adapt. de : R. Traver)

Avec les compliments de l'auteur (1982, R. : A. Hiller, S. : I. Horovitz)
Babette s'en va-t-en-guerre (1958, R. : Christian-Jaque, S. : R. Levy, G. Oury, D. : M. Audiard)
Baisers volés (1968, R. : F. Truffaut, S., D. : F. Truffaut, C. de Givray, B. Revon)
Balance maman hors du train (1987, R. : D. de Vito, S. : S. Silver)
Bananas (1971, R. : W. Allen, S. : W. Allen, M. Rose)
Bandits (2001, R. : B. Levinson, Adapt. de : H. Peyton)
Bandits, bandits (1981, R. : T. Gilliam, S. : T. Gilliam, M. Palin)
Beau-Père (1981, R., S., D. : B. Blier)
Beignets de tomates vertes (1991, R. : J. Avnet, S. : F. Flagg, C. Sobieski, Adapt. de : F. Flagg)
Bernie (1996, R. : A. Dupontel, S. : A. Dupontel, G. Roland)
Best (2000, R. : M. Mc Gukian, S. : J. Lynch, M. Mc Gukian)
Betsy's wedding (1990, R., S., D. : A. Alda)
Blanches Colombes et Vilains Messieurs (1955, R. : J. L. Mankiewicz, S : B. Hecht, Adapt. de : A. Burrows)
Blondie plays cupid (1940, R. : F. Stayer, S. : C. M. Brown, K. de Wolf)
Bob le flambeur (1955, R., S. : J.-P. Melville, D. : A. Le Breton)
Bonne Chance (1935, R., S., D. : S. Guitry)
Bons Baisers à lundi (1974, R., D. : M. Audiard, S. : P. Lusson, J. Audiard, Adapt. de : A.-Y. Beaujour)
Bons Baisers de Hollywood (1990, R., S. : M. Nichols, Adapt. de : C. Fisher)
Bonsoir (1992, R. : J.-P. Mocky, S., D. : J.-P. Mocky, A. Ruellan, J. Bacellon)

Boston Blackie's chinese venture (1948, R. : S. Friedman, S. : M. Tombragd)
Breakfast club (1985, R., S. : J. Hugues)
Breezy (1973, R. : C. Eastwood, S. : J. Heims)
Broadcast News (1987, R., S. : J. L. Brooks)
Broadway Danny Rose (1984, R., S., D. : W. Allen)
Buffet froid (1979, R., S., D. : B. Blier)
C'est arrivé près de chez vous (1992, R., S., D : R. Belvaux, A. Bonzel, B. Poelvoorde)
Caddyshack 2 (1988, R. : A. Arkush, S., D. : B. B. Murray, H. Ramis)
Calmos (1976, R. : B. Blier, S., D. : B. Blier, P. Dumarcay)
Captain Thunder (1930, R. : A. Crosland, S. : G. Rigby, D. : W. K. Wells)
Carambolages (1963, R. : M. Bluwal, D. : M. Audiard, Adapt. de : F. Kassak)
Cash and carry (1937, R. : Del Lord, S. : C. Bruckman, E. Ullman)
Casino (1995, R. : M. Scorsese, Adapt. de : N. Piliggi)
Ce n'est pas un péché (1934, R. : L. McCarey, S. : M. West)
Ce plaisir qu'on dit charnel (1971, R : M. Nichols, S. : J. Feiffer)
Celebrity (1998, R., S., D. : W. Allen)
Céline et Julie vont en bateau (1974, R. : J. Rivette, S. : E. de Gregorio, J. Berto, D. Labourier, B. Ogier, M.-F. Pisier, J. Rivette)
Certains l'aiment chaud (1959, R. : B. Wilder, S., D. : B. Wilder, I. A. L. Diamond)
César (1936, R., S., D. : M. Pagnol)
Ceux de chez nous (1914-1915, R. : S. Guitry)
Charade (1962, R. : S. Donen, S., D. : P. Stone)
Charlotte et son Jules (1960, R., S., D. : J.-L. Godard)
Chercheurs d'or (1940, R. : E. Buzzell, S. : I. Brecher, B. Keaton)

Chicken run (2000, R., S. : P. Lord, N. Park)
Chinatown (1974, R. : R. Polanski, S. : R. Towne)
Choose me (1984 ; R., S. : A. Rudolph)
Cible émouvante (1992, R., S. : P. Salvadori)
Cigalon (1935, R., S., D. : M. Pagnol)
Circulez, y a rien à voir (1983, R. : P. Leconte, S., D. : P. Leconte, M. Veyron)
Citizen Kane (1940 ; R. : O. Welles, S. : H. Mankiewicz, O. Welles)
Clara et les Chics Types (1980, R. : J. Monnet, S., D. : J.-L. Dabadie)
Cléo de cinq à sept (1952, R., S., D. : A. Varda)
Clerks (1994, R., S. : K. Smith)
Cocktail (1988, R. : R. Donaldson, S. : H. Gould)
Comédie érotique d'une nuit d'été (1982, R., S., D. : W. Allen)
Comment réussir en amour quand on est con et pleurnichard (1974, R. : M. Audiard, S. : M. Audiard, J.-M. Poiré, D. : M. Audiard)
Comment tuer sa femme (1964, R. : R. Quine, S., D. : G. Axelrod)
Copacabana (1947, R. : A. E. Green, S. : A. Boretz, H. Harris)
Copie conforme (1946, R. : J. Dréville, S. : J. Companeez, D. : H. Jeanson)
Cordes et Discordes (1987, R., S. : J. Belson)
Coup de foudre à Notting Hill (1999, R. : R. Michell, S. : R. Curtis)
Coup de torchon (1981, R. : B. Tavernier, S., D. : J. Aurenche, B. Tavernier, Adapt. de : J. Thompson)
Coup double (1986, R. : J. Kanew, S. : J. Orr, J. Gruickshank)
Cracked nuts (1941, R. : E. F. Cline, S. : S. Darling, E. Lazarus)

Créatures féroces (1997, R. : F. Schiepisi, R. Young, S. : J. Cleese, I. Johnston)
Crimes et Délits (1989, R., S., D. : W. Allen)
Cynara (1933, R. : K. Vidor, S. : F. Marion, L. Starlin, Adapt. de : H. M. Harwood)
Dans la peau de John Malkovich (1999, R. : S. Jonze, S. : C. Kauffman)
Darling (1966, R. : J. Schlesinger, S., D. : F. Raphaël)
Defending your life (1991, R., S. : A. Brooks)
Des clowns par milliers (1965, R. : F. Coe, S. : H. Gardner)
Désiré (1937, R., S., D. : S. Guitry)
Deux Flics à Chicago (1986, R. : P. Hyams, S. : G. Devore, J. Huston)
Deux heures moins le quart avant Jésus-Christ (1982, R., S., D. : J. Yanne)
Diner (1982, R., S. : B. Levinson)
Doberman (1997, R., S. : Y. Kounen)
Docteur Popaul (1972, R. : C. Chabrol, S., D. : C. Chabrol, P. Gegauff, Adapt. de : H. Monteilhet)
Dollars et Whisky (1958, R. : M. Réganey, S. : R. Caillava, M. Réganey)
Domicile conjugal (1970, R. : F. Truffaut, S., D. : F. Truffaut, C. de Givray ; B. Revon)
Donne-moi tes yeux (1943, R., S., D. : S. Guitry)
Drôle de couple (1968, R. : G. Saks ; S., D. : N. Simon)
Dumb et Dumber (1994, R. : P. et B. Farrelly, S. : P. Barr, B. Yellin)
Elle (1979, R., S. : B. Edwards)
Elle cause plus... elle flingue (1972, R., S., D. : M. Audiard)
Embrasse-moi idiot ! (1964, R. : B. Wilder, S. : B. Wilder, I. A. L. Diamond, Adapt. de : A. Bonacci)
En route pour le Maroc (1942, R. : D. Butler, S. : Don Hartman, F. Butler)

Entrée des artistes (1938, R. : M. Allégret, S. : A. Cayatte, H. Jeanson, D. : H. Jeanson)

Escalier C (1985, R., S., D. : J.-C. Tacchella ; Adapt. de : E. Murail)

Espionne de mon cœur (1951, R. : N. Z. Mc Leod, S. : E. Hartmann, J. Sheer)

Est-ce bien raisonnable ? (1981, R. : G. Lautner, S. : J.-M. Poiré, D. : M. Audiard)

Fanfan la Tulipe (1951, R. : Christian-Jaque, S. : R. Wheeler, R. Fallet, D. : H. Jeanson)

Fanny (1932, R. : M. Allégret, S., D. : M. Pagnol)

Faut pas prendre les enfants du bon Dieu pour des canards sauvages (1968, R., D. : M. Audiard, S. : M. Audiard, H. Viard)

Faut s'faire la malle ! (1980, R. : S. Poitier, S. : B. J. Friedman)

Femme aimée est toujours jolie (1994, R. : V. Sherman, S. : J. J . et Ph. G. Epstein, Adapt. de : E. von Arnim)

Fifi peau de pêche (1938, R. : E. Sutherland, S. : M. West)

Fight club (1999, R. : D. Fincher, S. : J. Uhls, Adapt. de : C. Pahlaniuck)

First Monday in October (1981, R. : R. Neane, S. : J. Laurence, R. E. Lee)

Flash-back (1990 ; R. : F. Amurri, S. : D. Loughery)

Fletch aux trousses (1985, R. : M. Ritchie, S. : A. Bergman, Adapt. de : G. Mc Donald)

Fleur de cactus (1969, : R. : G. Saks, S. : I.A.L. Diamond, Adapt. de : P. Barillet, J.-P. Grédy)

Forrest Gump (1994, R. : R. Zemeckis, S. : E. Roth, Adapt. de : W. Groom)

Fortunat (1960, R. : Al. Joffé, S., D. : P. Corti, A. Joffé, Adapt. de : M. Breitman)

Fous d'Irène (2000, R. : B. et P. Farrelly, S. : P. Farrelly, M. Cerron)

Garçonnière pour quatre (1962, R. : M. Gordon, S. : A. Sultan, Adapt. de : M. Hargrove)
Garde à vue (1981, R. : C. Miller, S. : C. Miller, J. Herman, D. : M. Audiard, Adapt. de : J. Wainwright)
Génération 90 (1994, R. : Ben Stiller, S., D. : Helen Childress)
Get on the bus (1996, R. : Spike Lee, S. : R. Rock Bythewood)
Gilda (1946, R. : Charles Vidor, S. : A. Ellington, Adapt. de : J. Eisinger)
Good morning Vietnam (1988, R. : B. Levinson, S. : M. Markowitz)
Goupi Mains rouges (1943, R. : J. Becker, S., D. : P. Véry)
Grand Guignol (1987, R., S., D. : J. Marbœuf)
Grande Dame pour un jour (1933, R. : F. Capra, S. : R. Riskin, Adapt. de : D. Runyon)
Grease (1978, R. : R. Kleiser, S. : B. Woodward, A. Carr, Adapt. de : J. Jacobs)
Guerre et Amour (1974, R., S. : W. Allen)
Half shot at sunrise (1941, R., S. : Del Lord)
Hannah et ses sœurs (1986, R., S., D. : W. Allen)
Hannibal (2001, R. : Ridley Scott, S. : D. Mamet, D. Zaillian, Adapt. de : T. Harris)
Harry dans tous ses états (1998, R., S., D. : W. Allen)
Hollywood endings (2002, R., S., D. : W. Allen)
Hot shots (1991, R., S. : J. Abrahams)
Hôtel du Nord (1938, R. : M. Carné, S. : H. Jeanson, J. Aurenche, D. : H. Jeanson, Adapt. de : E. Dabit)
How to beat the high cost of living (1980, S. : R. Scheerer, S. : R. Kaufman, Adapt. de : L. Thuma)
HS (2001, R., S. : J.-P. Lienfeld, Adapt. de : A. Gagnol)
Humoresque (1946, R. : J. Negulesco, S. : Z. Gold, C. Odets, Adapt. de : F. Hurst)
Il y a longtemps que je t'aime (1979, R., S., D. : J.-C. Tacchella)

Ils étaient neuf célibataires (1939, R., S., D. : S. Guitry)

In and out (1997, R. : F. Oz, S. : P. Rudrick)

In the spirit (1990, R. : S. Seacab, S. : J. Berlin, L. Johnes)

Indiscret (1931, R. : L. McCarey, S. : De Sylva, B. Henderson)

Inspecteur la Bavure (1980, R. : C. Zidi, S., D :, : C. Zidi, J. Bouchaud)

Insurance (1930, R. : E. Caotor)

Intérieurs (1978, R., S., D. : W. Allen)

Intrigues en Orient (1943, R. : R. Walsh, S. : W. R. Burnett, Adapt. de : E. Ambler)

Je hais les acteurs (1986, R., S. : G. Krawczyk, Adapt. de : B. Hecht)

Je ne suis pas un ange (1933, R. : W. Ruggles, S., D. : M. West, Adapt. de : L. Brentano et H. Thompson)

Je ne vois pas ce qu'on me trouve (1997, R. : C. Vincent, S. : C. Vincent, J. Berroyer, O. Dazat)

Je veux être une lady (1935, R. : A. Hall, S. : M. West, Adapt. de : M. Morgan)

Je vous aime (1980, R. : C. Berri, S. : C. Berri, M. Grisolia)

Jenny (1936, R. : M. Carné, S., D. : P. Rocher, J. Prévert, J. Constant)

Jet-Set (2000, R. : F. Onteniente, S. : O. Chavarot, F. Onteniente)

Josette (1936, R. : Christian-Jaque, S., D. : P. Fékété)

Judas Kiss (1998, R. : Sebastien Gutierrez, S. : Deanna Fuller)

Jurassic Park (1993, R. : S. Spielberg, S. : D. Koepp, Adapt. de : M. Crichton)

Kennedy et Moi (1999, R. : S. Karman, S. : J.-P. Dubois, S. Karman, Adapt. de : J.-P. Dubois)

L'Aigle des mers (1940, R. : M. Curtiz, S., D. : Seton I. Miller, H. Koch)

L'Amant (1991, R., D. : J.-J. Annaud, S. : G. Brach, Adap de : M. Duras)
L'amour chante et danse (1942, R. : M. Sandrich, S. C. Bynion, E. Rice, Adapt. de : I. Berlin)
L'Amour en fuite (1978, R., S., D. : F. Truffaut)
L'Arme fatale 2 (1989, R. : R. Donner, S. : J. Boam)
L'Arme fatale 4 (1998, R. : R. Donner, S. : J. Boam)
L'Arnaque (1973, R. : G. Roy Hill, S. : D. Ward)
L'Auberge rouge (1951, R : C. Autant-Lara, S. : C. Autan Lara, J. Aurenche, P. Bost)
L'aventure de Mrs Muir (1947, R. : J. Mankiewicz, Adap de : R. A. Dick)
L'Enfer du dimanche (1999, R. : O. Stone, S. : D. Pyn J. Logan).
L'Engagé involontaire (1941, R. : D. Butler, S. : H. Tugen
L'Enjeu (1948 ; R. : Frank Capra, S. : A. Veille M. Conelly)
L'Ennemi public numéro un (1953, R. : H. Verneui S. : M. Favalelli, D. : M. Audiard)
L'Entourloupe (1980, R : G. Pirès, S. : J. Herman, D. M. Audiard, Adapt. de : F. Ryck)
L'Escadre est au port (1942, R. : V. Schertzinger, H. Wa ker, S. : W. de Leon, S. Silvers, R. Spence)
L'Esclave du gang (1950, R. : V. Sherman, S. : H. Me ford, J. Weidman)
L'Étoile du Nord (1982, R. : P. Granier-Defferre, S. J. Aurenche, M. Grisolia, P. Granier-Defferre, D. J. Aurenche, Adapt. de : G. Simenon)
L'Homme à l'imperméable (1956, R. : J. Duvivier, S. R. Barjavel, J. Duvivier, Adapt. de : J. Hadley Chase
L'Homme au pistolet d'or (1974, R. : G. Hamilto S. : R. Maibaum, T. Mankiewicz, Adapt. de : I. Fle ming)
L'Homme aux deux cerveaux (1983, R. : C. Reine S. : C. Reiner, S. Martin, G. Gipe)

L'Homme des Folies-Bergère (1935, R., S. : M. Achard, Roy del Ruth, Adapt. de : H. Adler)
L'Homme qui aimait les femmes (1977, R. : F. Truffaut, S. : M. Fermaud, S. Schiffman, F. Truffaut)
L'Homme tranquille (1952, R. : J. Ford, S. : F. S. Nugent)
L'Honneur des Prizzi (1985, R. : J. Huston, S., D. : R. Condon, J. Roach)
L'Horloger de Saint-Paul (1973, R. : B. Tavernier, S., D. : J. Aurenche, B. Tavernier, P. Bost, Adapt. de : G. Simenon)
L'Impasse tragique (1946, R. : H. Hathaway, S. : J. Dratler, R. Schoefeld)
L'important c'est d'aimer (1975, R. : A. Zulawski, S. : A. Zulawski et C. Franck)
L'Incorrigible (1975, R. : P. de Broca, S. : M. Audiard, P. de Broca, Adapt. de : A. Varoux)
L'Inspecteur Harry (1982, R. : C. Eastwood, D., S. : H. J. Fink, R. M. Fink)
L'Introuvable (1934, R. : W. S. Van Dyke, S. : A. Hackett, F. Goodrich, Adapt. de : D. Hammett)
L'Invasion des profanateurs de sépultures (1956, R. : D. Siegel, S. : D. Mainwarring, Adapt. de : J. Finney)
La Bande à papa (1955, R. : G. Lefranc, S. : F. Dard, R. Pierre, M. Audiard)
La Bandera (1935, R. : J. Duvivier, S., D. : J. Duvivier, C. Spaak, Adapt. de : P. Mac Orlan)
La Blonde de mes rêves (1942, R. : S. Lanfield, S. : F. Butler, Don Hartman, Adapt. de : N. Panama)
La Bonne Année (1973 ; R., S., D. : C. Lelouch)
La Brune de mes rêves (1947, R. : E. Nugent, S. : E. Beloin, J. Rose),
La Chanson du souvenir (1945, R. : C. Vidor, S. : S. Buchman)
La Chanteuse et le Milliardaire (1991, R. : J. Rees, S. : Neil Simon)

La Chasse à l'homme (1964, R. : E. Molinaro, S. F. Roche, D. : M. Audiard)

La Chienne (1931, R. : J. Renoir, S., D. : J. Renoir e A. Girard, Adapt. de : G. de La Fouchardière)

La Chinoise (1967, R., S. : J.-L. Godard)

La Cité de l'indicible peur (1964, R. : J.-P. Mocky S. : J.-P. Mocky, G. Klein, D. : R. Queneau, Adapt. de J. Ray)

La Cité de la peur (1994, R. : A. Berberian, S. : A. Chaba D. Farrugia, C. Lauby)

La Dame du vendredi (1940, R. Howard Hawks, S. : Be Hecht, C. Mc Arthur)

La Dilettante (1999, R. : P. Thomas, S. : P. Thomas J. Lourcelles)

La du Barry était une dame (1943, R. : R. Delruth, S. I. Brecjer)

La Famille Addams (1991, R. : B. Sonnenfeld, S. C. Thompson, L. Wilson)

La Femme de l'année (1941, R. : G. Stevens, S. : R. Lard ner)

La Femme de mon pote (1983, R : B. Blier, S. : B. Blie G. Brach)

La Femme du boulanger (1938, R., S., D. : M. Pagno Adapt. de : J. Giono)

La Femme modèle (1957, R. : V. Minnelli, S. : G. Well Adapt. de : H. Rose)

La Fête à Henriette (1952, R. : J. Duvivier, S. : J. Duvi vier, H. Jeanson, D. : H. Jeanson)

La Fièvre au corps (1981, R., S. : L. Kasdan)

La Fille de d'Artagnan (1994, R. : B. Tavernier, Riccard Freda, S. : J. Cosmos, M. Léviant)

La Fille du puisatier (1940, R., S., D. : M. Pagnol)

La Fille du vendredi (1940, R. : H. Hawks, D. : B. Hech C. Mc Arthur)

La flotte est dans le lac (1929, R. : Lewis R. Foster, S. : L. McCarey, D. : H. M. Walker)

La Folie des grandeurs (1971, R. : G. Oury, S. : G. Oury, M. Jullian, D. Thompson)

La Folle Histoire de l'espace (1987, R. : M. Brooks, S. : M. Brooks, T. Meehan, R. Graham)

La Folle Histoire du monde (1981, R., S., D. : M. Brooks)

La Garce (1949. R. : K. Vidor, S. L. Coffee, Adapt. de : S. Engstrand)

La Garçonnière (1960, R. : B. Wilder, S. : B. Wilder, I. A. L. Diamond)

La Gifle (1974 : R. : C. Pinoteau, S : C. Pinoteau, J.-L. Dabadie)

La Grande Cuisine (1978, R. : T. Kotcheff, S. : P. Stone, Adapt. de : Y. et N. Lyons)

La Grande Nuit de Casanova (1954, R. : N. Z. Mc Leod, S. : H. Kanter)

La Grande Zorro (1981, R. : P. Medak, S. : H. Dresner, G. Alt, Don Moriarty, Adapt. de : H. Dresner)

La Huitième Femme de Barbe-Bleue (1938, R. : E. Lubitsch, S. : C. Brackett)

La Joyeuse Suicidée (1937, R. : W. Wellman, S. : B. Hecht)

La Kermesse héroïque (1935, R. : J. Feyder, S. : C. Spaak, D. : B. Zimmer)

La Maison des sept péchés (1940, R. : T. Garnett, S. : J. Meeham, H. Tugend)

La Maison du docteur Edwards (1945, R. : Alfred Hitchcock, S. B. Hecht, Adapt. de : F. Beeding)

La Malle de Singapour (1935, R. : T. Garnett, S. : J. Furtman, Adapt. de : C. Garstin)

La Maman et la Putain (1973, R., S., D. : J. Eustache)

La Métamorphose des cloportes (1965, R. : P. Granier-Defferre, S. : P. Granier-Defferre, A. Simonin, D : M. Audiard, Adapt. de : A. Boudard)

La Mouche (1986, R., S : D. Cronenberg, Adapt. de : G. Langelaan)
La Nuit de l'iguane (1964, R. : J. Huston, S. : J. Huston, A. Veiller, Adapt. de : T. Williams)
La Pêche au trésor (1950, R. : D. Miller, S. F. Tashlin, H. Marx)
La Petite Maison de thé (1956, R. : D. Mann, S. : J. Patrick, Vern J. Sneider)
La Poison (1951, R., S., D. : S. Guitry)
La Prisonnière espagnole (1997, R., S., D. : D. Mamet)
La Rose pourpre du Caire (1985, R., S., D. : W. Allen)
La Soupe au canard (1933, R. : L. Mc Carry, S. : B. Kalmar, H. Ruby)
La Storia (1985, R. L. Comencini, S. : S. C. d'Amico, C. et L. Comencini, Adapt. de : E. Morante)
La Toile d'araignée (1975, R. : S. Rosenberg, S. : L. Rosenberg Semple Jr., W. Hill, Adapt. de : R. Mc Donald)
La Totale (1991, R. : C. Zidi, D. : D. Kaminka, S. : C. Zidi, S. Mickaël)
La Traversée de Paris (1956, R. : C. Autant-Lara, S., D. : J. Aurenche, P. Bost, Adapt. de : M. Aymé)
La Tulipe noire (1964, R. : Christian-Jaque, S. : Christian-Jaque, P. Andréota, H. Jeanson, Adapt. de : A. Dumas)
La Valse des pantins (1983, R. : M. Scorsese, S. : P. Zimmerman)
La Vengeance du serpent à plumes (1984, R. : G. Oury, S. : D. Thompson)
La Vie d'un honnête homme (1952, R., S., D. : S. Guitry)
La Vie de Brian (1979, R. : T. Jones, S. : G. Chapman, J. Cleese)
La Vie en rose (1947, R. : J. Faurez, S : R. Wheeler, D. : H. Jeanson)
La Vie, l'amour et les vaches (1991, R. : Ron Underwood, S. : L. Ganz, B. Mandel)

a Vie privée de Don Juan (1934, R. : A. Korda, S. : H. Bataille, L. Bino)
a Zizanie (1978, R. : C. Zidi, S. : M. Fabre, D. : P. Jardin)
ady Lou (1932, R. : L. Sherman, S. : H. Thew, J. Bright, Adapt. de : M. West)
ady Paname (1950, R., S., D. : H. Jeanson)
aurel et Hardy au Far West (1937, R. : J. W. Horne, S. : C. Rogers, F. Adler, J. Parrott, Adapt. de : J. Jevne, C. Rogers)
e Baron de l'Écluse (1960, R. : J. Delannoy, S. : Maurice Druon, J. Delannoy, D. : M. Audiard, Adapt. de : G. Simenon)
e Baron de Münchhausen (1988, R. : Terry Gilliam, S. : Terry Gilliam, C. McKeown, Adapt. de : G. A. Buerger)
e Blanc et le Noir (1930, R. : R. Florey, S. : S. Guitry)
e Bon Roi Dagobert (1984, R. : D. Risi, S., D. : D. Risi, G. Brach)
e Cavalier électrique (1979, R. : S. Pollack, S. : R. Garland)
e Cave se rebiffe (1961, R. : G. Grangier, S. : A. Simonin, G. Grangier, M. Audiard, D. : M. Audiard)
e Chat et le Canari (1939, R. : E. Nugent, S. W. DeLeon, L. Starling, Adapt. de : J. Willard)
e Chemin des écoliers (1959, R. : M. Boisrond, S. : J. Aurenche, P. Bost, Adapt. de : M. Aymé)
e ciel peut attendre (1943, R : E. Lubitsch, S. : S. Raphaelson, Adapt. de : L. Bus-Feketé)
e Comédien (1947, R., S., D. : S. Guitry)
e Corniaud (1964, R. : G. Oury, S. : G. Oury, M. Jullian)
e Corps de mon ennemi (1976, R. : H. Verneuil, S. : H. Verneuil, F. Marceau, D. : M. Audiard, Adapt. de : F. Marceau)
e Cri du cormoran le soir au-dessus des jonques (1970,

R., D. : M. Audiard, S. : J.-M. Poiré, Adapt. de E. Hunter)
Le Dernier des géants (1976, R. : D. Siegel, S. : M. Hoo Swarthout, S. Hale)
Le Dernier Métro (1980, R. : F. Truffaut, S., D. : F. Truffaut, S. Schiffman, J.-C. Grumberg)
Le Dernier Samaritain (1991, R. : T. Scott, S. : S. Black Adapt. de : G. Hicks)
Le Diable au corps (1946, R. : C. Autant-Lara, S., D. J. Aurenche, P. Bost ; Adapt. de : R. Radiguet)
Le Diable et les Dix Commandements (1962, R. : J. Duvivier, S. : J. Duvivier, M. Bessy, R. Barjavel, D. : R. Barjavel, H. Jeanson, M. Audiard)
Le Dîner de cons (1998, R., S., D. : F. Veber)
Le Faiseur de pluie (1956, R. : J. Anthony, S. : R. Nash
Le Fantôme de Canterville (1944, R. : J. Dassin, S. E. Blum, Adapt. de : O. Wilde)
Le Fils de Visage pâle (1952, R. : F. Tashlin, S., D. F. Tashlin, R. Welch, J. Quillam)
Le Forum en folie (1966, R. : R. Lester, S. : M. Franck L. Pertwee)
Le Gai Mensonge (1927, R. : W. A. Seiter, S. : L. Jason Adapt. de : K. R. G. Browne)
Le Gentleman d'Epsom (1962, R. : G. Grangier, S. A. Simonin, D. : M. Audiard)
Le Gouffre aux chimères (1951, R. : B. Wilder, S. : B. Wilder, L. Samuels, W. Newman)
Le Goût des autres (2000, R. : A. Jaoui, S., D. : J.-P. Bacri A. Jaoui)
Le Grand Escogriffe (1976, R. : C. Pinoteau, S., D. M. Audiard, J. Herman, C. Pinoteau, Adapt. de R. Airth)
Le Grand Sommeil (1946, R. : H. Hawks, S. : W. Faulkner Adapt. de : R. Chandler)

Le Guignolo (1980, R. : G. Lautner, S. : J. Herman, D. : M. Audiard)
Le Jouet (1976, R., S., D. : F. Veber)
Le Journal (1994, R. : R. Howard, S. : S. et D. Koepp)
Le Juge et l'Assassin (1976, R. : B. Tavernier, S., D. : B. Tavernier, J. Aurenche)
Le Lien sacré (1938, R. : J. Cromwell, S. : J. Swerling)
Le Mari de la coiffeuse (1990, R., S., D. : P. Leconte)
Le Mépris (1963, R., S., D. : J.-L. Godard, Adapt. de : A. Moravia)
Le Metteur en scène (1930, R. : Edward Sedgwick, S. : P. Dickey, R. Schayer)
Le Milliardaire (1960, R. : G. Cukor, S. : N. Krasna)
Le Monstre de minuit (1942, R. : W. Fox, S. : G. Schnitz-ler)
Le Moustachu (1987, R., S. : D. Chaussois)
Le Mouton enragé (1973, R. : M. Deville, S., D. : C. Franck, Adapt. de : R. Blondel)
Le Mystère de la maison Norman (1939, R. : E. Nugent, S. : W. de Leon, L. Starling, Adapt. de : J. Willard)
Le Mystère du château maudit (1940, R. : G. Marshall, S. : W. de Leon)
Le Nouveau Testament (1936, R., S., D. : S. Guitry)
Le Pacha (1969, R., S. : G. Lautner, D. : M. Audiard, Adapt. de : J. Delion)
Le Pantin brisé (1957, R. : C. Vidor, S. : O. Saul, Adapt. de : A. Cohn)
Le Parrain (1971, R., S. : F. Ford Coppola, Adapt. de : M. Puzo)
Le Parrain 3 (1990, R., S. : F. Ford Coppola, S. : M. Puzo)
Le Père Noël est une ordure (1982, R. : J.-M. Poiré, S., D. : L'équipe du Splendid)
Le Pistonné (1970, R., S., D. : C. Berri)
Le Placard (2001, R., S., D. : F. Veber)
Le Policeman (1978, R. : D. Petrie, S. : H. Gould)

Le Président (1960, R. : H. Verneuil, S. : H. Verneuil, M. Audiard, Adapt. de : G. Simenon)

Le Prince de Sicile (1998, R. : J. Abrahams, S. : J. Abrahams, G. Naberg)

Le Quart d'heure américain (1982, R. : P. Galland, S., D. : P. Galland, G. Jugnot)

Le Renard s'évade à trois heures (1966, R. : V. De Sica, S. : N. Simon, C. Zavattini)

Le Repas des fauves (1964, R. : Christian-Jaque, S. : Christian-Jaque, C. Marcy, D. : H. Jeanson, Adapt. de : V. Katcha)

Le Retour de la panthère rose (1975, R. : B. Edwards, S. : F. Waldman, B. Edwards)

Le Retour de Topper (1941, R. : R. Del Ruth, S. : G. Douglas, J. Latimer)

Le Roi de cœur (1966, R. : P. de Broca, S. : P. de Broca, D. Boulanger, M. Bessy)

Le Roman d'un tricheur (1936, R., S., D. : S. Guitry)

Le Roman de Marguerite Gautier (1936, R. : G. Cukor, S. : Z. Akins, F. Marion, Adapt. de : A. Dumas fils)

Le Roman de Mildred Pierce (1945, R. : M. Curtiz, S. : R. Mac Dougall)

Le Saint (1997, R. : P. Noyce, D. J. Hensleigh, Adapt. de : L. Charteris)

Le Sang à la tête (1956, R. : G. Grangier, S., D. : M. Audiard, Adapt. de : G. Simenon)

Le Schpountz (1937, R., S., D. : M. Pagnol)

Le Secret du scorpion de jade (2001, R., S., D. : W. Allen)

Le Tatoué (1968, R. : D. de La Patellière, S. : A. Boudard, D. : P. Jardin)

Le Tonnerre de Dieu (1965, R., S. : D. de La Patellière, D. : P. Jardin, Adapt. de : B. Clavel)

Le Trésor de Cantenac (1950, R., S., D. : S. Guitry)

Le Troisième Homme (1949, R. : C. Reed, S. : C. Reed, M. Poole, G. Greene, Adapt. de : G. Greene)

Les 400 coups (1959, R. : F. Truffaut, S. : F. Truffaut, M. Moussy)

Les Acteurs (2000, R., S., D. : B. Blier)

Les Affranchis (1989, R. : M. Scorsese, S., D : : M. Scorsese et N. Pileggi, Adapt. de : N. Pileggi)

Les amoureux sont seuls au monde (1947, R. : H. Decoin, S., D. : H. Jeanson)

Les Apprentis (1995, R. : P. Salvadori, S. : P. Salvadori, F. Bauchard, N. Cuche)

Les Aventures de Rabbi Jacob (1973, R. : G. Oury, S. : D. Thompson, R. de Leonardis)

Les Bronzés (1978, R. : P. Leconte, S., D. : l'équipe du Splendid)

Les Bronzés font du ski (1979, R. : P. Leconte, S., D. : l'équipe du Splendid)

Les cadavres ne portent pas de costards (1982, R. : C. Reiner, S., D. : C. Reiner, G. Gipe, S. Martin)

Les Dames du bois de Boulogne (1944, R., S. : R. Bresson, D. : J. Cocteau, Adapt. de : Diderot)

Les Faussaires (1994, R. : F. Blum, S. : F. Blum, P. Chosson, O. Dazat, Adapt. de : R. Gary)

Les Félins (1963, R. : R. Clément, S. : R. Clément, P. Jardin, C. Williams, D. : P. Jardin, Adapt. de : D. Keene)

Les Galettes de Pont-Aven (1975, R., S., D. : J. Seria)

Les Gaspards (1973, R. : P. Tchernia, S. : R. Goscinny, P. Tchernia)

Les Girls (1957, R. : G. Cukor, S. : J. Patrick)

Les Grandes Familles (1958, R. : D. de La Patellière, S. : M. Audiard, Adapt. de : M. Druon)

Les Hommes préfèrent les blondes (1953., R. : H. Hawks, S. : J. Fields, Adapt. de : A. Loos)

Les Incorruptibles (1986, R. : B. de Palma, S. : D. Mamet, Adapt. de : E. Ness)

Les Invitations dangereuses (1973, R. : H. Ross, S. : A. Perkins, S. Sondhiem)

Les lions sont lâchés (1961, R. : H. Verneuil, S. : F. Roche D. : M. Audiard, Adapt. de : Nicole)
Les Marx Brothers au grand magasin (1941, R. : C. Reisner, S. : S. Kuller, H. Fimberg, R. Golden, Adapt. de N. Perrin)
Les Morfalous (1984, R. : H. Verneuil, S. : H. Verneuil M. Audiard, Adapt. de : P. Siniac)
Les Producteurs (1967, R., S., D. : M. Brooks)
Les Professionnels (1966, R., S., D. : R. Brooks, Adapt de : F. O'Rourke)
Les Quatre Saisons (1981, R., S. : A. Alda)
Les Ripoux (1984, R., S : C. Zidi, D. : D. Kaminka)
Les Sept Voleurs de Chicago (1964, R. : G. Douglas S. : D. R. Schwartz)
Les Tontons flingueurs (1963, R. : G. Lautner, S. : G. Lautner, A. Simonin, D. : M. Audiard, Adapt. de : A. Simonin)
Les trois font la paire (1957, R. : S. Guitry, C. Duhour S., D. : S. Guitry)
Les Tuniques écarlates (1940, R. : C. B. de Mille, S., D. A. Le May, J. Laskey Jr)
Les Valseuses (1974, R. : B. Blier, S., D. : B. Blier P. Dumarçay)
Les Vieux de la vieille (1960, R. : G. Grangier, S. G. Grangier, R. Fallet, M. Audiard, D. : M. Audiard Adapt. de : R. Fallet)
Les Visiteurs (1992, R. : J.-M. Poiré, S. : C. Clavier J.-M. Poiré)
Les Visiteurs du soir (1942, R. : M. Carné, S. : J. Prévert P. Laroche, D. : J. Prévert)
Life begins at eight thirty (1942, R. : I. Pichel, S. : N. Johnson, F. S. Fitzgerald)
Little Miss Broadway (1938, R. : I. Cummings, S. H. Tugend, J. Yeller)
Look who's laughing (1941, R : A. Dwann, S : J. V. Kern

Lord dove a dock (1966, R., S., D. : G. Axelrod, Adapt. de : A. Hine)
Ma femme a des complexes (1958, R., S. : N. Johnson, Adapt. de : E. Chodorov)
Ma femme s'appelle Reviens (1982, R. : P. Leconte, S. : P. Leconte, M. Blanc)
Madame de (1953, R. : M. Ophuls, S. : M. Ophuls, M. Achard, A. Wademant, D. : M. Achard, Adapt. de : L. de Vilmorin)
Madame et ses flirts (1942, R., S. : P. Sturges)
Maigret tend un piège (1958, R. : J. Delannoy, S. : R.-M. Arlaud, D. : M. Audiard, Adapt. de : G. Simenon)
Maigret voit rouge (1963, R. : G. Grangier, S. : G. Grangier, J. Robert, Adapt. de : G. Simenon)
Manhattan (1979, R. : W. Allen, S., D. : W. Allen et M. Brickman)
Mannequins de Paris (1996, R. : A. Hunnebelle, S. : A. Hunnebelle, F. Campaux, D. : M. Audiard)
Marie Martine (1942, R. : A. Valentin, D., S. : J. Biot)
Maris et Femmes (1992, R., S., D. : W. Allen)
Marius (1931, R. : A. Korda, S., D., Adapt. de : M. Pagnol)
Marius et Jeannette (1997, R., S., D. : R. Guédiguian)
Mary à tout prix (1998, R. : B. et P. Farrelly, S. : Ed Decter, J. J. Strauss)
Maudite Aphrodite (1999, R., S., D. : W. Allen)
Mauvaise Passe (1999, R. : M. Blanc, D., S. : H. Kureishi, M. Blanc)
Max Dugan returns (1983, R. : H. Ross, S. : N. Simon)
Meilleur Espoir féminin (2000, R. : G. Jugnot, S. : G. Jugnot, I. Mergault)
Mélodie en sous-sol (1963, R. : H. Verneuil, S. : A. Simonin, D. : M. Audiard, Adapt. de : J. Trinian)
Memories of me (1988, R. : H. Winkler, S. : B. Crystal, E. Roth)
Merci la vie (1990, R., S., D. : B. Blier)

Meurtres mystérieux à Manhattan (1992, R. : W. Allen, S. : W. Allen, M. Brickman)

Mexican spitfire baby (1941, R. : L. Goodwins, S. : J. Cady, C. E. Roberts)

Micky et Maud (1984, R. : B. Edwards, S. : J. Reynolds)

Mille Milliards de dollars (1982, R., S. : H. Verneuil)

Miller's crossing (1989 ; R., S. : J. et E. Coen)

Million dollars legs (1932, R. : E. F. Cline, S. : N. T. Barrows, B. Hecht, Adapt. de : J. L. Mankiewicz)

Mission impossible 2 (2001, R. : B. de Palma, S. : D. Koepp)

Mississippi (1935, R. : E. Sutherland, S., D. : C. Biryon, J. Cunningham)

Mon beau-père et moi (2000, R. : J. Roach, S. : G. Glienna, M. R. Clarke)

Mon homme (1996, R., S., D. : B. Blier)

Monnaie de singe (1965, R. : Y. Robert, S. : D. Boulanger, Adapt. de : P. Chaland)

Mon père avait raison (1936, R., S., D. : S. Guitry)

Mon petit poussin chéri (1940, R. : E. Cline, S. : M. West, W. C. Fields)

Monsieur Beaucaire (1946, R. : G. Marshall, S. : M. Frank, N. Panama, F. Tashlin, Adapt. de : B. Tarkington)

Monsieur Ripois (1953, R. : R. Clément, S. : H. Mills, R. Clément, D. : R. Queneau, H. Milles, Adapt. de L. Hémon)

Mort d'un pourri (1977, R., S. : G. Lautner, D. M. Audiard, Adapt. de : R. Vallet)

Moulin-Rouge (1953, R., S. : J. Huston, Adapt. de : P. de La Mure)

My Giant (1998, R. : M. Lehrmann, S. : B. Cristal, D. Seltzer)

Myra Breckinridge (1970, R. : M. Sarne, S., D. : M. Sarne et D. Giler, Adapt. de : G. Vidal)

Ne mangez pas les marguerites (1965, R., S. : P. Baldwin ; J. Erman)

Ne nous fâchons pas ! (1965, R. : G. Lautner, S., D. : M. Audiard)

Never say die (1939, R : E. Nugent, S : F. Butler, P. Sturges)

Night after night (1932, R. : A. Mayo, S. : L. Bromfield, V. Lawrence)

Ninotchka (1939, R. : E. Lubitsch, S. : C. Brackett, B. Wilder, W. Reisch)

No time for comedy (1940, R. : W. Keighiey, S. : S. N. Berhman, J. J. Epstein)

Non coupable (1947, R. : H. Decoin, S. : M.-G. Sauvageon)

Norman... Is that you ? (1976, R., S. : G. Schlatter, Adapt. de : R. Clark)

Nos plus belles années (1973, R. : S. Pollack, S. : A. Laurents)

Notre histoire (1984 ; R., S., D. : B. Blier)

Nous irons tous au paradis (1977, R. : Y. Robert, S. : J.-L. Dabadie et Y. Robert, D. : J.-L. Dabadie)

Nouvelle Vague (1990, R., S. : J.-L. Godard)

Nuits blanches à Seattle (1993, R., S. : N. Ephron)

Oklahoma ! (1955, R. : F. Zinnemann, S. : S. Levien, W. Ludwig)

On approval (1944, R. : C. Brook, S. : C. Brook, T. Young, Adapt. de : F. Lonsdale)

On ne meurt que deux fois (1985, R. : J. Deray, S. : J. Deray, M. Audiard, D. : M. Audiard, Adapt. de : R. Cook)

On s'fait la valise, docteur ? (1972, R. : P. Bogdanovitch, S. : B. Henry, D. Newman, R. Benton)

Opération jupons (1959, R. : B. Edwards, S. : S. Shapiro, M. Richlin, Adapt. de : P. King, J. Stone)

Parade du rire (1934, R. : W. Beaudin, S. : W. C. Fields)

Paris au mois d'août (1965, R., S. : P. Granier-Defferre, D. : H. Jeanson, Adapt. de : R. Fallet)
Passion (1982, R., S., D. : J.-L. Godard)
Pauline à la plage (1983, R., S., D. : É. Rohmer)
Pension d'artistes (1937, R. : G. La Cava, S. : E. Fester, G. S. Kauffman)
Pépé le Moko (1936, R., S. : J. Duvivier, D. : H. Jeanson, Adapt. de : Ashelbé)
Peter's friends (1992, R. : K. Brannagh, S. : M. Bergman, R. Rudner)
Pierrot le fou (1965, R., D., S. : J.-L. Godard)
Pile ou face (1980, R. : R. Enrico, S. : M. Jullian, R. Enrico, D. : M. Audiard, Adapt. de : A. Harris)
Pinot, simple flic (1984, R. : G. Jugnot, S., D. : P. Geller, C. Biegalski)
Plus ça va, moins ça va (1977, R., S., D. : M. Vianey)
Poker party (1934, R. : L. McCarey, S. : W. de Leon, D. Mc Lean)
Police spéciale (1964, R., S. : S. Fuller)
Pour le meilleur et pour le pire (1997, R. : J. L. Brooks, S. : M. Andrus, J. L. Brooks)
Pour qui sonne le glas ? (1943, R. : S. Wood, S. D. Nichols, Adapt. de : E. Hemingway)
Prends l'oseille et tire-toi (1969, R. : W. Allen, S. D. : W. Allen, M. Rose)
Préparez vos mouchoirs (1978, R., S., D. : B. Blier)
Private lives (1929, R. : A. Korda, S. : Z. Akins, F. Halsey)
Procès de singe (1960, R. : S. Kramer, S. : N. Young, H. J. Smith)
Propre à rien (1950, R. : G. Marshall, S. : E. Hartman, R. O'Brien, Adapt. de : H. Leon Wilson)
Providence (1976, R. : A. Resnais, S. : D. Mercer)
Puerto Rican Mambo (1993, R. : B. Model, S. : L. Caballero, B. Model)

Pulp fiction (1994, R., S. : Q. Tarantino)
Pump up the volume (1990, R., S. : A. Moyle)
Quadrille (1937, R., S., D. : S. Guitry)
Quai des brumes (1938, R. : M. Carné, S., D. : J. Prévert, Adapt. de : P. Mac Orlan)
Quai des Orfèvres (1947, R. : H.-G. Clouzot, S., D. : H.-G. Clouzot, J. Ferry, Adapt. de : S. A. Steeman)
Quand Harry rencontre Sally (1989, R. : B. Reiner, S., D. : N. Ephron)
Quand passent les faisans (1965, R. : E. Molinaro, S. : A. Simonin, J. Emmanuel, E. Molinaro, D. : M. Audiard)
Quatre Mariages et un enterrement (1993, R. : M. Newell, S., D. : R. Curtis)
Que la bête meure ! (1969, R. : C. Chabrol, S., D. : C. Chabrol, P. Gegauff, Adapt. de : N. Blake)
Que la fête commence (1975, R. : B. Tavernier, S., D. : B. Tavernier, J. Aurenche)
Qui a peur de Virginia Woolf ? (1966, R. : M. Nichols, S. : E. Lehman, Adapt. de : E. Albee)
Quoi de neuf Pussycat ? (1965, R. : C. Donner, S., D. : W. Allen)
Ralph Super King (1991, R., S., D. : S. Ward, Adapt. de : E. Williams)
Rambo 2 (1985, R. : G. P. Cosmatos, S. : S. Stallone, J. Cameron)
Raphaël ou le Débauché (1971, R. : M. Deville, S., D. : N. Companeez)
Razzia sur la chnouf (1954, R. : H. Decoin, S. : H. Decoin, M. Griffe, A. Le Breton, Adapt. de : A. Le Breton)
Reflets dans un œil d'or (1967, R. : J. Huston, S. : G. Hill, Adapt. de : C. McCullers)
Rendez-vous (1940, R. : E. Lubitsch, S. : S. Raphaelson, Adapt. de : Lazlo)

Reservoir dogs (1992, R., S. : Q. Tarantino)
Rio Rita (1929, R. : Luther Reed, S. : G. Bolton)
Ripoux contre ripoux (1990, R. : C. Zidi, S. : S. Michaël, C. Zidi, D. : D. Kaminka)
Rocket Gibraltar (1988, R. : D. Petrie, S. : A. Poe)
Rushmore (1998, R. : W. Anderson, S. : W. Anderson, O. Wilson)
Sanglantes Confessions (1980, R. : U. Grosbard, S. : J. Didion, Adapt. de : J. G. Dunne)
Sans peur et sans reproche (1939, R : G. Marshall, S. E. Freeman, Adapt. de : W. C. Fields)
Scary Movie (2000, R. : K. Ivory Waysmans, S. : S. et M. Waysmans)
Scènes de crime (1999, R. : F. Schoendoerffer, S. : F. Schoendoerffer, Y. Brion)
Séquences et Conséquences (2000, R., S. : D. Mamet)
Sérénade à trois (1933, R. : E. Lubitsch, S., D. : B. Hecht, Adapt. de : N. Coward)
Seven (1995, R. : D. Fincher, S. : A. K. Walker)
Sex crimes (1997, R. : J. McNaughton, S. : S. Peters)
Sexe, mensonges et vidéo (1989, R., S., D. : S. Soderbergh)
Shanghai express (1932, R. : J. von Sternberg, S : J. Furthman)
Si ma moitié savait ça (1949, R. : E. Goulding, S. : N. Johnson, Adapt. de : J. M. Cain)
Sing your worries away (1942, R. : A. E. Sutherland, S. : M. Brice, Adapt. de : E. S. Gelsay)
SOB (1981, R., S. : B. Edwards)
Solo (1969, R., S. : J.-P. Mocky, D. : A. Noury)
Someone like you (1978, R. : E. de Witt)
Song of thin man (1947, R. : E. Buzell, S. : S. Fisher, N. Perrin, D. Hammett, Adapt. de : S. Roberts)
Souvenirs perdus (1950, R. : Christian-Jaque, S. : J. et P. Prévert, P. Véry, H. Jeanson)

Speed (1994, R. : J. De Bont, S. : G. Yost)
Stardust Memories (1980, R., S., D. : W. Allen)
Strange days (1995, R. : K. Bigelow, S. : J. Cameron)
Sweet charity (1969, R. : B. Fosse, S. : P. Stone, Adapt. de : F. Fellini)
Tango (1992, R. : P. Leconte, S. : P. Leconte, P. Dewolf)
Taxi (1998, R. : G. Pirès, S. : L. Besson)
Tell me lies (1968, R., S. : P. Brooks, S. : P. Brooks, M. Kustow, Adapt. de : D. Cannan)
Tendre Voyou (1966, R. : J. Becker, S. : A. Simonin, D. Boulanger, D. : M. Audiard)
Tenue de soirée (1986, R., S., D. : B. Blier)
Tequila sunrise (1988, R., S. : R. Towne)
The barretts of Wimpole Street (1934, R. : S. Franklin, S. : R. Besier, E. Vajda)
The Big Lebowski (1998, R. : J. Coen, S. : E. et J. Coen)
The bride walks out (1936, R. : L. Jason, S. : P. J. Wolfson, P. G. Epstein, Adapt. de : H. E. Rogers)
The courtship of Andy Hardy (1942, R. : G. B. Seitz ; S. : A. C. Johnston, A. Rouverol)
The last married couple in America (1980, R. : G. Cates, S. : J. H. Shaner)
The man who comes to dinner (1942, R. : W. Keighley, S. : J. J. et P. G. Epstein, Adapt. de : G. S. Kaufman)
The Mask (1994, R. : C. Russell, S. : M. Werb)
The night they raided Minsky's (1968 ; R. : W. Friedkin, S. : A. Schulman, S. Michaels, N. Lear, Adapt. de : R. Barber)
The one and the only (1978, R. : C. Reiner, S. : S. Gordon)
The player (1992, R. : R. Altman, Adapt. de : M. Tolkin)
The Saint strikes back (1939, R. : J. Farrow, S. : J. Twist ; Adapt. de : L. Charteris)
Thelma et Louise (1990, R. : R. Scott, S. : C. Khouri)
There's a girl in my soup (1970, R. : R. Boulting, S. : T. Frisby, D. : P. Kortner)

They got me covered (1943, R. : D. Buther, S. : H. Kurnitz, Adapt. de : L. Rosten, L. Spigelgass)
Tirez sur le pianiste (1960, R. : F. Truffaut, S. : F. Truffaut, M. Moussy, Adapt. de : D. Goodis)
Tombe les filles et tais-toi (1972, R. : H. Roos, S. : W. Allen)
Toni (1934, R. : J. Renoir, S., D. : J. Renoir et C. Einstein)
Topaze (1950, R., S., D. : M. Pagnol)
Torch song trilogy (1988, R. : P. Bogart, S. : H. Fierstein)
Trafic (2000, R. : S. Soderbergh, S. : S. Gaghan)
Transamerica express (1976, R. : A. Hiller, S. : C. Higgins)
Trixie (2000, R. : A. Rudolph, S. : A. Rudolph, J. Binder)
Trois Zéros (2002, R. : F. Onteniente, S. : F. Onteniente, P. Guillard, M. Booz)
Troublez-moi ce soir (1952, R. : R. Ward Becker, D. Taradasch, Adapt. de : C. Amstrong)
True romance (1993, R. : T. Scott, S., D. : Q. Tarantino)
Two Jakes (1989, R. : J. Nicholson, S. : R. Towne)
Un Américain à Paris (1951, R. : V. Minnelli, S. : A. Jay Lerner)
Un automne à New York (2000, R. : J. Chen, S. : A. Binder)
Un autre homme, une autre chance (1977, R., S., D. : C. Lelouch)
Un cadavre au dessert (1976, R. : R. Moore, S. : N. Simon)
Un cœur à prendre (1991, R. : M. Vianey, S. : P. Geller, P. Kassovitz)
Un crack qui craque (1949, R. : S. Lanfield, S. : E. L. Hartmann)
Un dimanche à New York (1963, R. : P. Tewksbury, S. : N. Krasna)
Un éléphant ça trompe énormément (1976, R. : Y. Robert, S., D. : J.-L. Dabadie)

Un homme est passé (1955, R. : J. Sturges, S. : M. Kauffman)

Un idiot à Paris (1967, R. : S. Korber, S. : S. Korber, J. Vermorel, D. : M. Audiard, Adapt. de : R. Fallet)

Un jour au cirque (1939, R. : E. Buzzell, S. : I. Brecher)

Un jour aux courses (1937, R. : S. Wood, S., D. : G. Seaton, R. Pirosh)

Un jour sans fin (1993, R. : H. Ramis, S. : D. Rubin, H. Ramis)

Un poisson nommé Wanda (1988, R. : C. Crichton, S. : J. Cleese)

Un pyjama pour deux (1961, R. : Delbert Mann, S. : S. Shapiro, P. Henning)

Un singe en hiver (1962, R. : H. Verneuil, D. : M. Audiard, Adapt. de : A. Blondin)

Un taxi pour Tobrouk (1961, R. : D. de La Patellière, S. : R. Havard, D. : M. Audiard)

Un vrai cinglé de cinéma (1956, R. : F. Tashlin, S. : E. Lazarus)

Uncle Buck (1989, R., S. : J. Hughes)

Une Cadillac en or massif (1956, R. : R. Quine, S. : A. Burrows, Adapt. de : G. Kaufman)

Une demoiselle en détresse (1937, R. : G. Stevens, S. : P. G. Woodehouse, E. Pagano, K. Lauren, Adapt. de : P. G. Woodehouse)

Une époque formidable (1991, R. : G. Jugnot, S. : G. Jugnot, P. Lopez-Curval)

Une femme dangereuse (1940, R. : R. Walsh, S. : J. Wald, R. Macaulay, Adapt. de : A. I. Bezzerides)

Une femme est une femme (1961, R., S. : J.-L. Godard)

Une fille de la province (1954, R., S., D. : G. Seaton, Adapt. de : C. Odets)

Une nuit à l'opéra (1935, R. : S. Wood, S. : G. Kaufman)

Vénus Beauté Institut (2000, R. : T. Marshall, S. : T. Marshall, M. Vernoux, J. Audiard)

Verdict (1974, R. : A. Cayatte, S. : A. Cayatte, P. Andreota)
Vidange (1998, R., S. : J.-P. Mocky, D. : M. Grisola)
Viens chez moi, j'habite chez une copine ! (1980, R. : P. Leconte, S. : P. Leconte et M. Blanc ; D. : M. Blanc, Adapt. de : L. Rego)
Vive les femmes (1984, R. : C. Confortes, S. : C. Confortes, J. M. Reiser)
Vivre sa vie (1962, R., S., D. : J.-L. Godard)
Votez pour moi (1935, R. : R. del Ruth, S. : N. Johnson, Adapt. de : D. F. Zanuck)
Vous avez un message (1998, R. : N. Ephron, S. : M. Laszlo, N. Ephron)
Voyage à deux (1966, R. : S. Donen, S. : F. Raphael)
Wall Street (1987, R. : O. Stone, S. : S. Weiser, O. Stone, Adapt. de : K. Lipper)
Where the bullets fly (1966, R. : J. Gilling, S. : M. Pittock)
Whoopee ! (1930, R. : T. Freeland, S. : E. J. Roth, R. H. Davis)
Wisecracks (1991, R. : G. Singer)
Wolf (1994, R. : M. Nichols, S. : J. Harrison, W. Strict)
Woody et les Robots (1973, R. : W. Allen, S. : M. Brickman, W. Allen)
X-Files (1998, R. : R. Bouman, S. : C. Carter, F. Spotniz)
Y a-t-il un flic pour sauver la reine ? (1988, R. : D. Zucker, S. : J. et D. Zucker, J. Abrahams)
Y a-t-il un flic pour sauver le président ? (1991, R. : D. Zucker, S. : D. Zucker, P. Proft)
Y a-t-il un Français dans la salle ? (1982, R. : J.-P. Mocky, S., D. : J.-P. Mocky, F. Dard, Adapt. de : F. Dard)
Y a-t-il un pilote dans l'avion ? (1980, R. : D. Zucker, S. : Jerry et D. Zucker, J. Abrahams)
Ya, ya, mon général (1970, R. : J. Lewis, S. : G. Gardner, D. Caruso)

ou can't beat love (1937, R. : C. Cabanne, S. : O. Moor, M. Shane)

Yvette (1928, R. : A. Cavalcanti, Adapt. de : G. de Maupassant)

Zazie dans le métro (1959 : R. : L. Malle, S. : L. Malle, J.-P. Rappeneau, Adapt. de : R. Queneau)

TABLE DES MATIÈRES

A la rencontre des plus randes stars de cinéma"

(Pocket n°11266)

Situé au creux d'une vallée, près de Bilda, en Algérie, le ruisseau des singes est un endroit magnifique. Mais avant d'y arriver, il faut parcourir de longs kilomètres en voiture... Jean-Claude Brialy n'a jamais oublié cette expédition qu'il faisait enfant avec ses parents. Ce souvenir est, en quelque sorte, devenu une métaphore de sa vie. D'autant que son père, longtemps opposé à sa carrière de comédien, lui répétait : « Quand tu seras grand, que tu auras fini tes études, tu feras ce que tu voudras. Et même le singe, si tu veux ! »

Il y a toujours un Pocket à découvrir

Impression réalisée sur Presse Offset par

BRODARD & TAUPIN

GROUPE CPI

24517 – La Flèche (Sarthe), le 06-07-2004
Dépôt légal : juillet 2004

POCKET – 12, avenue d'Italie - 75627 Paris cedex 13
Tél. : 01.44.16.05.00

Imprimé en France